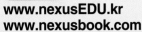

NEXUS Edu

LEVEL CHART

분야	교재	초1	초2	초3	초4	초5	초6	중1	중2	중3	고1	고2	고3
VOCA	초등필수 영단어 1-2·3-4·5-6학년용	✓	✓	✓	✓	✓	✓						
	The VOCA + (플러스) 1~7					✓	✓	✓	✓	✓	✓	✓	
	THIS IS VOCABULARY 입문·초급·중급			✓	✓	✓	✓	✓	✓	✓			
	THIS IS VOCABULARY 고급·어원·수능 완성·뉴텝스								✓	✓	✓	✓	✓
Grammar	초등필수 영문법 + 쓰기 1~2			✓	✓	✓	✓						
	OK Grammar 1~4			✓	✓	✓	✓						
	This Is Grammar 초급~고급 (각 2권: 총 6권)					✓	✓	✓	✓	✓	✓	✓	✓
	Grammar 공감 1~3						✓	✓	✓	✓			
	Grammar 101 1~3						✓	✓	✓	✓			
	Grammar Bridge 1~3 (개정판)						✓	✓	✓	✓			
	중학영문법 뽀개기 1~3						✓	✓	✓	✓			
	The Grammar Starter, 1~3						✓	✓	✓	✓	✓		
	구사일생 (구문독해 Basic) 1~2									✓	✓	✓	✓
	구문독해 204 1~2									✓	✓	✓	✓
	그래머 캡처 1~2								✓	✓	✓	✓	
	Grammar.Zip 1~2									✓	✓	✓	✓
	[특단] 어법어휘 모의고사									✓	✓	✓	✓

분야	교재	초1	초2	초3	초4	초5	초6	중1	중2	중3	고1	고2	고3
Writing	도전만점 중등내신 서술형 1~4						■	■	■	■			
	영어일기 영작패턴 1-A, B · 2-A, B				■	■	■	■	■				
	Smart Writing 1~2				■	■	■	■	■	■			
Reading	Reading 101 1~3					■	■	■	■	■			
	Reading 공감 1~3					■	■	■	■	■			
	This Is Reading Starter 1~3					■	■	■	■	■			
	This Is Reading 전면 개정판 1~4						■	■	■	■	■		
	This Is Reading 1-1 ~ 3-2 (각 2권; 총 6권)					■	■	■	■	■	■		
	원서 술술 읽는 Smart Reading Basic 1~2						■	■	■	■			
	원서 술술 읽는 Smart Reading 1~2									■	■	■	
	[특단] 구문독해									■	■	■	■
	[특단] 독해유형									■	■	■	■
Listening	Listening 공감 1~3						■	■	■	■			
	The Listening 1~4					■	■	■	■	■			
	After School Listening 1~3						■	■	■	■			
	도전! 만점 중학 영어듣기 모의고사 1~3						■	■	■	■			
	만점 적중 수능 듣기 모의고사 20회 · 35회									■	■	■	■
TEPS	NEW TEPS 기본편 실전 300+ 청해 · 문법 · 독해						■	■	■	■			
	NEW TEPS 실력편 실전 400+ 청해 · 문법 · 독해							■	■	■	■	■	
	NEW TEPS 마스터편 실전 500+ 청해 · 문법 · 독해								■	■	■	■	■

기초 독해의 확실한 해결책

THIS IS READING

Starter

THIS IS READING Starter 2

지은이 김태연
펴낸이 최정심
펴낸곳 (주)GCC

출판신고 제 406-2018-000082호 ①
10880 경기도 파주시 지목로 5
전화 (031) 8071-5700 팩스 (031) 8071-5200

ISBN 979-11-89432-20-1 54740
979-11-89432-18-8 (SET)

www.nexusEDU.kr
www.nexusbook.com

기초 독해의
확실한 해결책

THIS IS READING

김태연 지음

Starter

2

NEXUS Edu

저는 초등학교, 중학교 다닐 때를 생각하면 떠오르는 게 파인애플과 팝송, 그리고 영어책입니다. 아빠가 출장 다녀오시면서 자주 사다 주셨던 파인애플을 먹으면서 영어로 된 노래를 듣고 따라 부르거나 영어책을 읽는 게 참 좋았거든요. 귀로는 팝송을 들으면서 따라 부르고, 눈으로는 영어로 된 재미있는 동화, 소설, 이야기들을 읽으면서 상상 속에 푹 빠져있던 시간이 꾸준히 쌓여 저의 영어 실력을 만들어준 것 같아요.

영어를 잘하게 돼서 나중에 뭐가 되면 좋을까? 라고 생각하는 것도 참 즐거웠어요. 어떤 때는 영어 선생님이 되고 싶었다가 아나운서가 되고 싶기도 했고, 방송 진행자가 되고 싶다는 생각도 들었어요. 또 어떤 때는 영어로 기사를 쓰는 기자가 되면 어떨까? 아니야, 영어로 소설을 쓰는 작가가 되는 것도 멋지겠는데? 하면서 제 꿈은 끊임없이 바뀌었어요. 그렇지만 영어를 잘해서 제가 하고 싶은 일을 멋지게 잘하는 사람이 되고 싶다는 막연한 상상은 매일 했던 것 같아요. 그러면서 영어책을 아주 많이 읽었죠. 영어 전문가가 되어 다양한 영어 관련 책을 쓰고, 영어 방송 프로그램을 진행하며, 전국의 선생님들과 학부모님들, 그리고 학생들에게 영어를 잘 가르치는 방법 및 영어를 잘할 수 있는 방법을 강의하러 다니는 실력을 만들어 준 비결은 영어책을 꾸준히 읽었던 거라고 믿어요.

영어 독해를 할 때는 늘 추측하고 상상하는 자세를 가지세요. 제목이나 교재에 있는 삽화와 사진, 그림을 보면서 지문의 내용이 뭘까 추측해보고, 모르는 단어가 나와도 앞뒤 문맥을 생각하면서 이 단어의 뜻이 뭘까를 생각해보세요. 그리고 지문의 내용을 머릿속에서 그림을 그려 상상해보면서 내용을 기억하고, 그 내용에 들어있는 단어의 의미를 연결해서 뜻을 기억하도록 하세요. 그리고 여러분만의 단어노트를 만들어 정리하는 것도 좋아요. 또한 지문을 읽을 때 눈으로만 보는 것보다는 소리를 내어 읽으면서 독해를 하는 것이 듣기 실력까지 높일 수 있는 효과적인 방법입니다.

〈THIS IS READING Starter〉 시리즈에 실린 다양한 주제의 지문을 읽으면서 내용을 이해하고, 문제를 풀고, 지문 안에 들어있는 어휘들을 외우면서, 영어를 아주 완벽히 잘하게 되었을 때 여러분이 뭘 하고 싶은지 꿈을 꾸어보세요. 〈THIS IS READING Starter〉 시리즈가 여러분의 영어 실력을 높여주는 동시에 여러분의 미래 목표를 이룰 수 있는 막강한 힘을 길러줄 것입니다.

꾸준히 성실하게 노력하면서도 즐겁고 행복하게 지내는 하루하루가 쌓이면 여러분의 멋진 미래가 선물처럼 다가올 것입니다. 꿈을 꾸고 노력하세요. 그러면 그 꿈은 꼭 이루어질 것이라 믿어요.

〈EBS 대표 영어 프로그램 진행자〉 김태연

초등부터 중등까지 모든 독해의 확실한 해결책

호기심을 자극하는
Preview 어휘 문제와 배경 지식 제공

어휘력을 효과적으로 키워주는
이미지 & 문장 완성 어휘 문제

다양한 주제를 통한
흥미로운 독해 지문

내신과 불수능을 미리미리 대비하는
유형별 독해 문제

독해 탄탄의 기초, 어휘력을 향상시키는
Words Review & Workbook

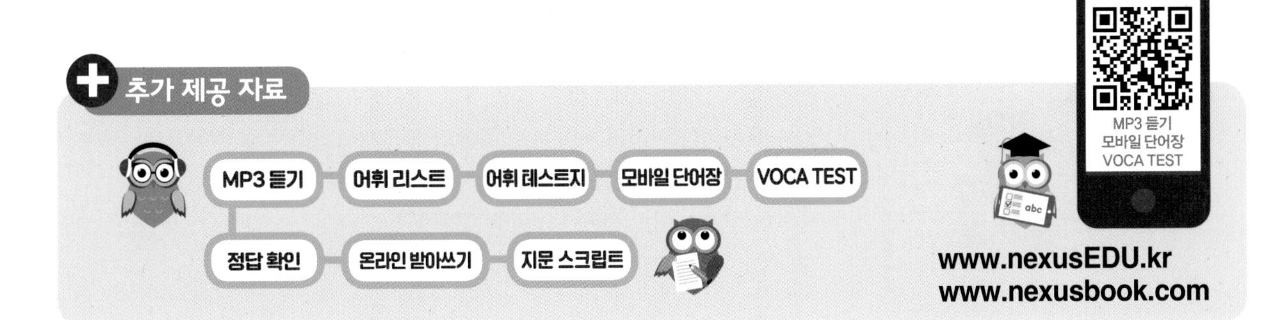

FEATURES

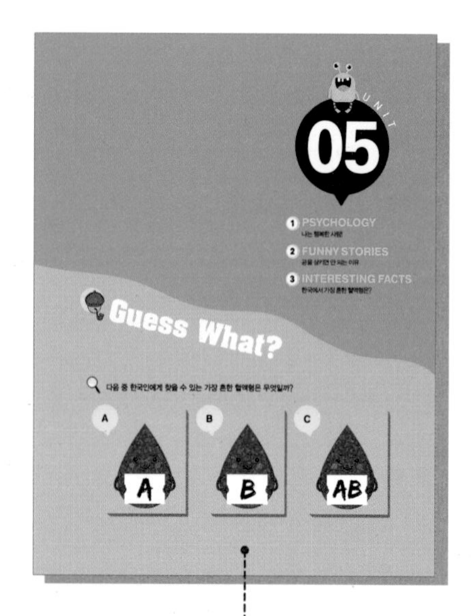

02

독해의 기본이 되는 어휘를 이미지를 통해 미리 학습하고, 간단한 예시 문장을 통해 기본 어휘를 효과적으로 암기할 수 있고 지문 내용의 이해가 쉽도록 도와줍니다.

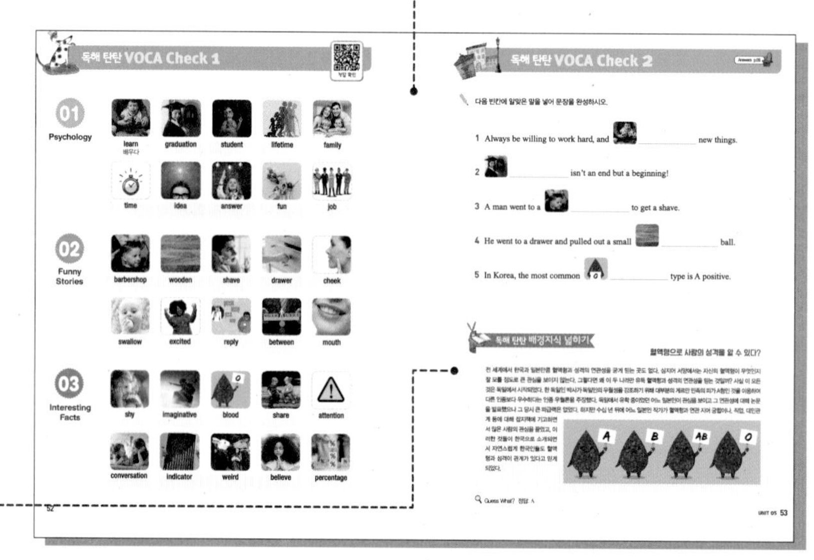

01

지문 내용과 관련된 그림문제를 미리 풀어 보면서 흥미를 유발하고 배경 지식을 통해 지문을 좀 더 쉽게 이해할 수 있습니다.

03

건강, 음식, 사회, 과학, 심리, 환경, 역사, 상식, 직업, 그리고 재미있는 표현이나 이야기 등을 통해 독해의 배경지식 습득은 물론 학습자가 흥미를 잃지 않도록 도와줍니다. 또한 QR코드로 지문의 내용을 원어민 발음으로 확인할 수 있습니다.

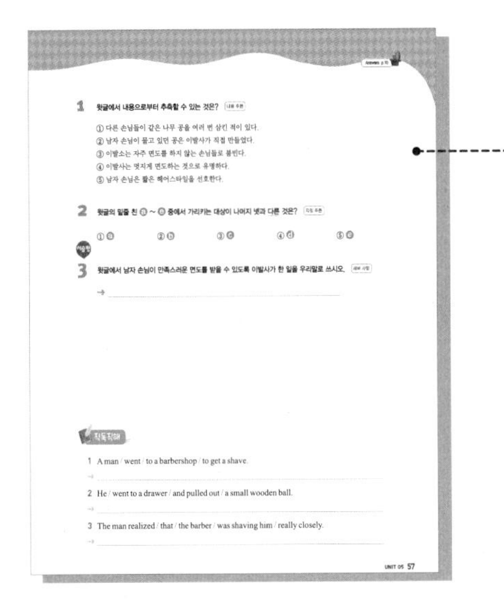
Answers p.10

1 윗글에서 내용으로부터 추측할 수 있는 것은? [내용 추론]

① 다른 손님들이 같은 나무 공을 여러 번 삼킨 적이 있다.
② 남자 손님이 물고 있던 공은 이발사가 직접 만들었다.
③ 이발소는 자주 면도를 하지 않는 손님들로 붐빈다.
④ 이발사는 멋지게 면도하는 것으로 유명하다.
⑤ 남자 손님은 짧은 헤어스타일을 선호한다.

2 윗글의 밑줄 친 ⓐ ~ ⓔ 중에서 가리키는 대상이 나머지 넷과 다른 것은? [지칭 추론]

① ⓐ ② ⓑ ③ ⓒ ④ ⓓ ⑤ ⓔ

3 윗글에서 남자 손님이 만족스러운 면도를 받을 수 있도록 이발사가 한 일을 우리말로 쓰시오. [세부 사항]

→

직독직해

1 A man / went / to a barbershop / to get a shave.
→
2 He / went to a drawer / and pulled out / a small wooden ball.
→
3 The man realized / that / the barber / was shaving him / really closely.
→

UNIT 05 57

04

다양한 독해 유형 문제풀이를 통해 내신 대비는 물론 수능 독해의 기초까지 잡아줍니다. 직독직해 문제를 통해 영어 문장을 영어의 어순에 맞게 해석하고 분석하는 능력을 키울 수 있습니다.

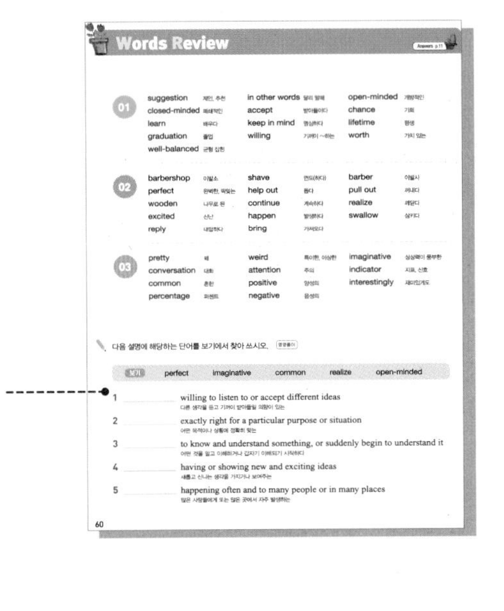
Words Review

Answers p.11

01	suggestion	제안, 추천	in other words	달리 말해	open-minded	개방적인
	closed-minded	폐쇄적인	accept	받아들이다	chance	기회
	learn	배우다	keep in mind	명심하다	lifetime	평생
	graduation	졸업	willing	기꺼이 ~하는	worth	가치 있는
	well-balanced	균형 잡힌				
02	barbershop	이발소	shave	면도(하다)	barber	이발사
	perfect	완벽한, 딱맞는	help out	돕다	pull out	꺼내다
	wooden	나무로 된	continue	계속하다	realize	깨닫다
	excited	신난	happen	발생하다	swallow	삼키다
	reply	대답하다	bring	가져오다		
03	pretty	꽤	weird	특이한, 이상한	imaginative	상상력이 풍부한
	conversation	대화	attention	주의	indicator	지표, 신호
	common	흔한	positive	양성의	interestingly	재미있게도
	percentage	퍼센트	negative	음성의		

다음 설명에 해당하는 단어를 보기에서 찾아 쓰시오. [영영풀이]

보기 perfect imaginative common realize open-minded

1 ______ willing to listen to or accept different ideas
다른 생각을 듣고 기꺼이 받아들일 의향이 있는
2 ______ exactly right for a particular purpose or situation
어떤 목적이나 상황에 정확히 맞는
3 ______ to know and understand something, or suddenly begin to understand it
어떤 것을 알고 이해하거나 갑자기 이해되기 시작하다
4 ______ having or showing new and exciting ideas
새롭고 신나는 생각을 가지거나 보여주는
5 ______ happening often and to many people or in many places
많은 사람들에게 또는 많은 곳에서 자주 발생하는

60

각 Unit에서 다룬 어휘를 다시 한 번 정리해 볼 수 있습니다. 영영풀이 문제를 통해 어휘의 정확한 의미를 파악하고 영어식 사고력을 높일 수 있습니다.

Unit별로 구성되어 있는 워크북에서는 영–한, 한–영 문제로 학습한 어휘를 최종적으로 확인하고, 문맥을 통해 어휘를 추론해 봄으로써 문장 완성 능력 및 독해 실력을 향상시킬 수 있습니다.

01

Answers p.22

A 다음 주어진 영어는 우리말로, 우리말은 영어로 쓰시오.

1 disapproval		11 문화	
2 gladiator		12 고대의	
3 defeated		13 운명	
4 travel		14 전통적으로	
5 midday		15 탈출하다	
6 common		16 환경	
7 serious		17 야기하다	
8 continue		18 평균의	
9 prey		19 재난	
10 affect		20 비극적인	

B 다음 주어진 해석을 참고하여, 빈칸을 알맞게 채우시오.

1 We commonly express an ______ or disapproval by using a thumbs up or thumbs down gesture. The origin of the thumbs up and thumbs down is not clearly known. However, many people believe that it came from ______ fights in ancient Rome. We know from movies or books that the crowd used to decide the fate of a defeated fighter with their thumbs. In modern times, the thumbs up means approval and success. On the other hand, the thumbs down means the ______. In addition, the thumbs up sign is another example for how the same gesture can have a very ______ meaning in other cultures. The thumbs up in Middle Eastern countries like Iran and Iraq is an ______ gesture.

2 "Oh, no! This shop is closed." "Really? Why is this shop closed in the middle of the day?" You can see many shops that are closed in the mid-afternoon while you're traveling in Europe. Have you heard of a 'siesta?' A siesta is a big part of the ______ in many Spanish-speaking countries. Siesta in Spanish means midday ______. Traditionally, people in these countries eat a big meal around lunch time, and these countries have very hot weather. These two factors make them tired and ______ after lunch. So it is natural for them to find a nice, cool, and shady place to escape from the heat and ______ their body. Today, the siesta is less common, but many people still take a ______ in the mid-afternoon in these countries.

3 ______ is the most serious environment problem that the earth faces. Many people are well aware that it is getting much hotter in summer than before. It ______ not only animals but also humans. If this phenomenon continues, a tragic disaster will occur. Let's talk about the effects on the animals first. Over the past 100 years, the average ______ in the Arctic have gone up by almost 5 degrees Celsius. Global warming has caused a lot of the Arctic ice to ______, which is the habitat of the polar bears and seals. As the ice is melting, the population of seals is decreasing. As a result, it will be more difficult for polar bears to find their favorite meal. At last, both seals and polar bears are in great danger of ______. If we don't do anything about it, they might all be dead by the end of this century. How has global warming affected human beings?

112 / Workbook_UNIT 01 113

CONTENTS

1 EXPRESSIONS
'최고 vs. 모욕'의 손동작이 같다?

2 CULTURE
'시에스타'를 들어본 적이 있나요?

3 ENVIRONMENT
제발, 얼음 위에서 살게 해주세요!

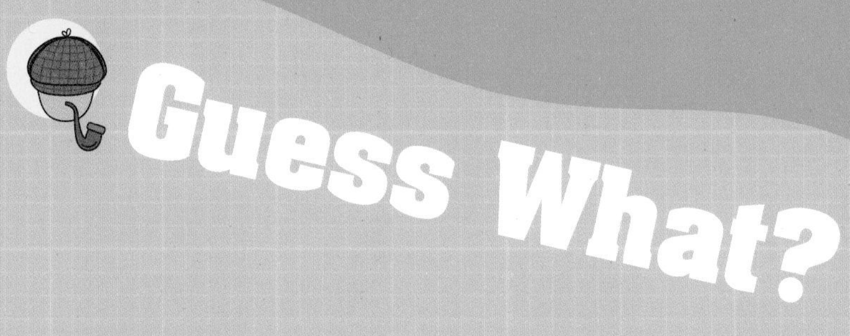

다음 중, 남미 지역에서 긴 점심 시간 동안 하는 행위로 알맞은 것은 무엇일까?

A

B

C

독해 탄탄 VOCA Check 1

Expressions

ancient
고대의

thumbs up

thumbs down

crowd

movie

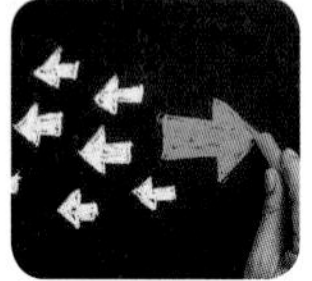
opposite

success

fighter

express

gesture

Culture

travel

culture

middle

midday

close

shady

weather

nap

tired

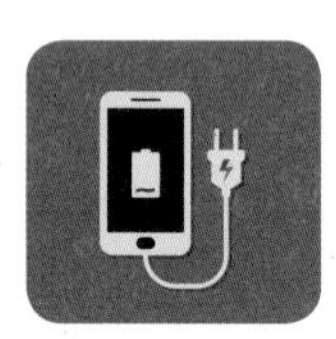
recharge

Environment

earth

temperature

global warming

melt

disaster

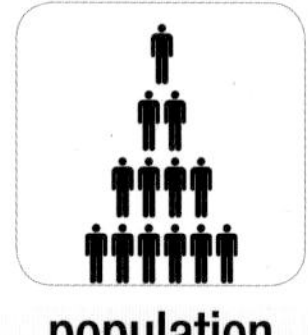
population

decrease

extinction

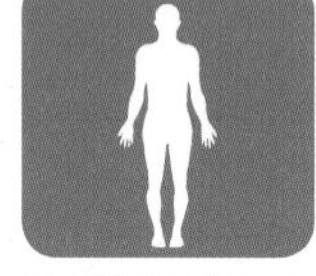
human

seal

독해 탄탄 VOCA Check 2

Answers p.02

다음 빈칸에 알맞은 말을 넣어 문장을 완성하시오.

1 The origin of the  ______________ is not clearly known.

2 The thumbs down means the  ______________.

3 Siesta in Spanish means  ______________ rest.

4 The average  ______________s have gone up.

5 A tragic 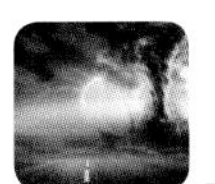 ______________ will occur.

독해 탄탄 배경지식 넓히기

시에스타(siesta)

시에스타(siesta)는 스페인어로서 라틴어 'hora sexta (여섯 번째 시간)'에서 유래한 말로 해가 뜨고 나서 6시간 후인 정오가 지나 잠시 쉰다는 것을 의미한다. 시에스타는 스페인의 오랜 관습으로서 스페인뿐만 아니라 그 나라의 영향을 받은 라틴 아메리카의 여러 국가에서도 시행되고 있다. 낮 기온이 상당히 높은 지역에서는 점심을 먹은 후에 졸림증을 겪는 것이 일반적이다. 그래서 잠시 잠을 청하여 피로를 풀 수 있고 또 그로 인해 하루 중 가장 더운 시간에 일하는 것을 피할 수 있어 일의 생산성을 높이는 데 도움이 된다고 알려져 있다. 일반적으로 시에스타로 2~3시간의 여유를 갖게 되는데 그 동안에 반드시 잠을 잘 필요는 없고 잔디에 눕거나 그늘에서 쉬면서 대화나 독서 등을 통해 휴식을 취하기도 한다. 시에스타를 통해 잠시 충전할 수 있는 기회를 얻어 좋은 점도 있지만 쉰 시간만큼 퇴근 시간도 늦어지기 때문에 시에스타의 폐지를 원하는 사람들도 많이 있다.

Guess What? 정답: C

01

Expressions

We commonly express an approval or disapproval by using a thumbs up or thumbs down gesture. The origin of the thumbs up and thumbs down is not clearly known. However, many people believe that it came from gladiator fights in ancient Rome. We know from movies or books that the crowd used to decide the fate of a defeated fighter with their thumbs. In modern times, the thumbs up means approval and success. On the other hand, the thumbs down means the opposite. In addition, the thumbs up sign is another example for how ____(A)____ gesture can have a very ____(B)____ meaning in other cultures. The thumbs up in Middle Eastern countries like Iran and Iraq is an insulting gesture.

* Middle Eastern: 중동의
** insulting: 모욕적인, 무례한

1 윗글의 내용과 일치하지 않는 것은? 내용 불일치

① 엄지손가락을 올리고 내리는 동작의 기원은 불분명하다.
② 고대 로마에서 엄지손가락으로 검투사의 운명을 결정했다.
③ 이란에서 엄지손가락을 치켜세우는 것은 모욕을 의미한다.
④ 똑같은 엄지손가락 동작이 이란과 이라크에서 서로 다른 의미로 쓰인다.
⑤ 엄지손가락으로 찬성이나 반대를 표시할 수 있다.

2 윗글의 밑줄 친 opposite이 문맥상 의미하는 것은? 내용 파악

① crowd ② failure ③ victory
④ fight ⑤ body language

3 윗글의 빈칸 (A)와 (B)에 들어갈 말로 가장 적절한 것은? 빈칸 완성

	(A)		(B)
①	common	……	uncommon
②	clear	……	unclear
③	ancient	……	modern
④	the same	……	different
⑤	wide	……	narrow

직독직해

1 We / commonly express / an approval or disapproval / by using / a thumbs up / or thumbs down gesture.

→ ______________________________

2 The origin / of the thumbs up / and thumbs down / is not / clearly known.

→ ______________________________

3 The crowd / used to decide / the fate / of a defeated fighter / with their thumbs.

→ ______________________________

Culture

"Oh, no! This shop is closed." "Really? Why is this shop closed in the middle of the day?" You can see many shops that are closed in the mid-afternoon while you're traveling in Europe. Have you heard of a 'siesta?' A siesta is a big part of the culture in many Spanish-speaking countries. Siesta in Spanish means midday rest. Traditionally, people in these countries eat a big meal around lunch time, and these countries have very hot weather. These two factors make them tired and sleepy after lunch. So it is natural for them to find a nice, cool, and shady place to escape from the heat and recharge their body. Today, the siesta is less common, but many people still take ____________ in the mid-afternoon in these countries.

* Spanish-speaking: 스페인어가 사용되는

Answers p.02

1 윗글에서 '시에스타(siesta)'에 대한 내용으로 옳은 것은? 내용 일치

① '시에스타' 시간에는 많은 사람들이 쇼핑을 한다.
② '시에스타'는 점심 식사 시간 이후 휴식 시간이다.
③ 추운 날씨를 피할 수 있는 하나의 방법이다.
④ 북유럽의 나라에서 비롯된 문화이다.
⑤ 점점 더 널리 보급되고 있다.

2 윗글의 밑줄 친 These two factors가 가리키는 것은? 지칭 추론

① a big meal, hot weather
② closed shops, midday rest
③ culture, a Spanish-speaking country
④ a shady place, the heat
⑤ the middle of the day, lunchtime

3 윗글의 빈칸에 들어갈 말로 가장 적절한 것은? 빈칸 완성

① time ② turns ③ a shower
④ a nap ⑤ place

1 Why / is this shop closed / in the middle of the day?
→ ______________________________

2 You / can see / many shops / that are closed / in the mid-afternoon.
→ ______________________________

3 So / it is natural / for them / to find / a nice, cool, and shady place / to escape from the heat.
→ ______________________________

03

Environment

Global warming is the most serious environment problem that the earth faces. Many people are well aware that it is getting much hotter in summer than before. It affects not only animals but also humans. If this phenomenon continues, a tragic disaster will occur. Let's talk about the effects on the animals first. Over the past 100 years, the average temperatures in the Arctic have gone up by almost 5 degrees Celsius. Global warming has caused a lot of the Arctic ice to melt, which is the habitat of the polar bears and seals. As the ice is melting, the population of seals is decreasing. As a result, it will be more difficult for polar bears to find their favorite meal. At last, both seals and polar bears are in great danger of extinction. 만약 우리가 그것에 대해 아무것도 하지 않는다면, they might all be dead by the end of this century. How has global warming affected human beings?

* phenomenon: 현상
** Celsius: 섭씨
*** extinction: 멸종

Answers p.03

1 윗글의 제목으로 가장 적절한 것은? 제목 찾기

① How to Prevent Global Warming
② The Life in the Arctic
③ Global Warming And Its Effects on Animals
④ Wildlife in Danger
⑤ Environment Problems And Disaster on Earth

2 윗글 뒤에 이어질 내용으로 가장 적절한 것은? 내용 추론

① 지구온난화가 동물에 미치는 영향
② 지구온난화가 식물에 미치는 영향
③ 지구온난화가 인간에 미치는 영향
④ 멸종 위기에 처한 바다 생물들
⑤ 지구온난화에 대한 여러 가지 대책들

3 윗글의 밑줄 친 우리말과 일치하도록 주어진 단어를 배열하시오. 문장 완성

(it / don't / anything / about / we / do/ if)

→ ______________________________

직독직해

1 Many people / are well aware / that / it is getting much hotter / in summer / than before.

→ ______________________________

2 Global warming / has caused / a lot of / the Arctic ice / to melt.

→ ______________________________

3 As a result, / it will be more difficult / for polar bears / to find / their favorite meal.

→ ______________________________

Words Review

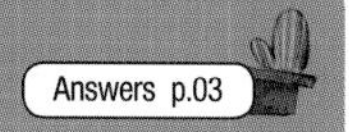

01

approval	찬성, 승인	disapproval	반대	gesture	몸짓
origin	기원	gladiator	검투사	ancient	고대의
crowd	군중	used to	~하곤 했다	fate	운명
defeated	패배한	opposite	반대의	example	예시
culture	문화	insulting	모욕적인		

02

travel	여행하다	hear of	~에 대해 듣다	midday	정오
traditionally	전통적으로	factor	요인, 인자	natural	당연한
shady	그늘진	escape	탈출하다	recharge	재충전하다
common	흔한	take a nap	낮잠을 자다		

03

serious	심각한	environment	환경	aware	알고 있는
affect	영향을 미치다	continue	계속되다	tragic	비극적인
disaster	재난	occur	발생하다	effect	영향
average	평균의	temperature	온도	degree	(온도, 각도) 도
cause	야기하다	habitat	서식지	melt	녹다
as a result	결과적으로	human being	인간		

다음 설명에 해당하는 단어를 보기에서 찾아 쓰시오. 영영풀이

보기 escape insulting culture melt tragic

1 ____________ the beliefs, customs, or arts of a society 믿음, 관습, 한 사회의 예술

2 ____________ rude; showing little or no respect 무례한; 존중하는 태도가 거의 없거나 아예 없는

3 ____________ to get away from a place 어떤 장소에서 도망치다

4 ____________ making you feel very sad 아주 슬프게 만드는

5 ____________ to become liquid because of heat 열 때문에 액체로 변하다

1 MYTH
여러분의 멘토는 누구인가요?

2 ORIGIN & EXPRESSION
아프면 총알을 깨물어야 한다?

3 FUNNY STORIES
어서 가서 엄마를 모셔 오렴!

다음 중 멘토(mentor)라는 어휘와 관련 있는 나라는 어디일까?

A

B

C

독해 탄탄 VOCA Check 1

Myth

help
돕다

education

friend

king

son

mentor

palace

word

war

mythology

Origin/ Expression

bite

bullet

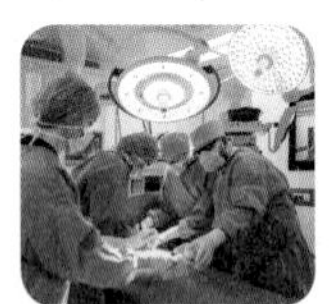
operation

soldier

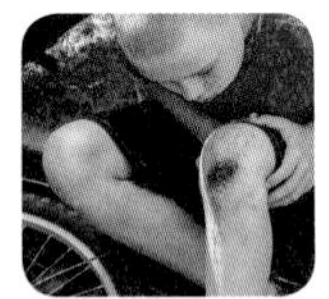
wounded

pain

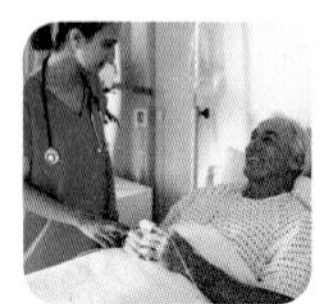
patient

interesting

difficult

doctor

Funny Stories

city

inside

young

stare

slide

press

button

cane

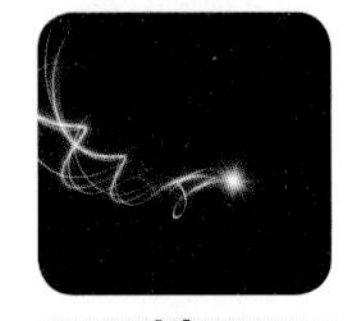
shiny

sideways

독해 탄탄 VOCA Check 2

다음 빈칸에 알맞은 말을 넣어 문장을 완성하시오.

1 He trusted him with his home and his son's  ______________.

2 Patients had to put up with much pain during the  ______________.

3 Doctors would ask the  ______________s to bite a bullet.

4 The king left the  ______________ to go fight in the war.

5 The walls opened up and the old lady went  ______________!

독해 탄탄 배경지식 넓히기

멘토(mentor)

멘토(mentor)는 오랜 시간에 걸쳐 조언과 도움을 베푸는 경험이 많은 선배, 선생을 뜻하는데 원래 그리스 신화에 나오는 오디세우스의 절친인 멘토르에 어원을 두고 있다. 오디세우스는 트로이 전쟁에 참전하면서 멘토르에게 자신의 아내와 아들인 텔레마코스, 그리고 집안 일 등을 맡기고 떠났다. 오디세우스가 없는 10년 동안 멘토르는 그 가정의 안전과 평화를 위해서 여러모로 힘썼으며 특히 텔레마코스에게 친구, 스승, 상담자, 때로는 아버지의 역할을 하며 그가 바르게 자라도록 노력했다. 이러한 멘토르의 이름을 따서 멘토라는 말을 오늘날 쓰고 있고, 멘토에게 가르침을 받는 사람을 멘티(mentee) 또는 멘토리(mentoree)라 한다.

Guess What? 정답: A

Myth

What exactly does it mean to be a "mentor?" Where does the word come from? Well, the word "mentor" originated in Greek Mythology. Mentor was the name of a person, who was friends with Odysseus, King of Ithaca. When Odysseus left to go fight in the Trojan War, he left Mentor in charge of his son, Telemachus, and his palace. In other words, he trusted him with his home and his son's education. Mentor became a good teacher, role model, and trusted adviser to Telemachus. Today, people use the word "mentor" to describe an experienced person who advises or helps a mentee with less experience.

* mentee: 멘티 (조언과 지도를 받는 사람)

Answers p.04

1 윗글에서 멘토(Mentor)에 대한 내용과 일치하지 않는 것은? 내용 불일치

① 그리스 신화에서 처음 나왔다.
② 이다카의 왕과 친구로 지냈다.
③ 사람 이름에서 유래되었다.
④ 오디세우스가 자신의 아들을 멘토에게 맡겼다.
⑤ 멘토는 그리스의 교육제도를 만들었다.

2 윗글의 밑줄 친 describe와 의미가 같은 단어는? 어휘

① teach ② paint ③ express
④ judge ⑤ inform

서술형

3 윗글을 읽고, 다음 빈칸에 알맞은 말을 찾아 문장을 완성하시오. (1단어) 문장 완성

A mentor gives help and advice to people with less ________________.

직독직해

1 What / exactly / does it mean / to be / a "mentor?"
→ ____

2 In other words, / he / trusted him / with his home / and his son's education.
→ ____

3 People / use / the word "mentor" / to describe / an experienced person.
→ ____

Origin & Expression

지문 MP3
모바일 단어장

How does it sound to you, 'bite the bullet'? I don't think that biting a bullet would be a very fun or interesting thing to do. Patients had to put up with much pain during the operation in the old days because there was no way to reduce pain. Doctors needed something to make patients feel nothing under painful surgery. So, during a war long time ago, doctors would ask the wounded soldiers to literally bite a bullet to help them endure the pain. It was still pretty painful, that's for sure! But at least biting the bullet could take away some of the pain. Today, when someone has to endure pain, or is in any difficult situation, we say that he or she has to 'bite the bullet.'

* literally: 문자 그대로, 사실상

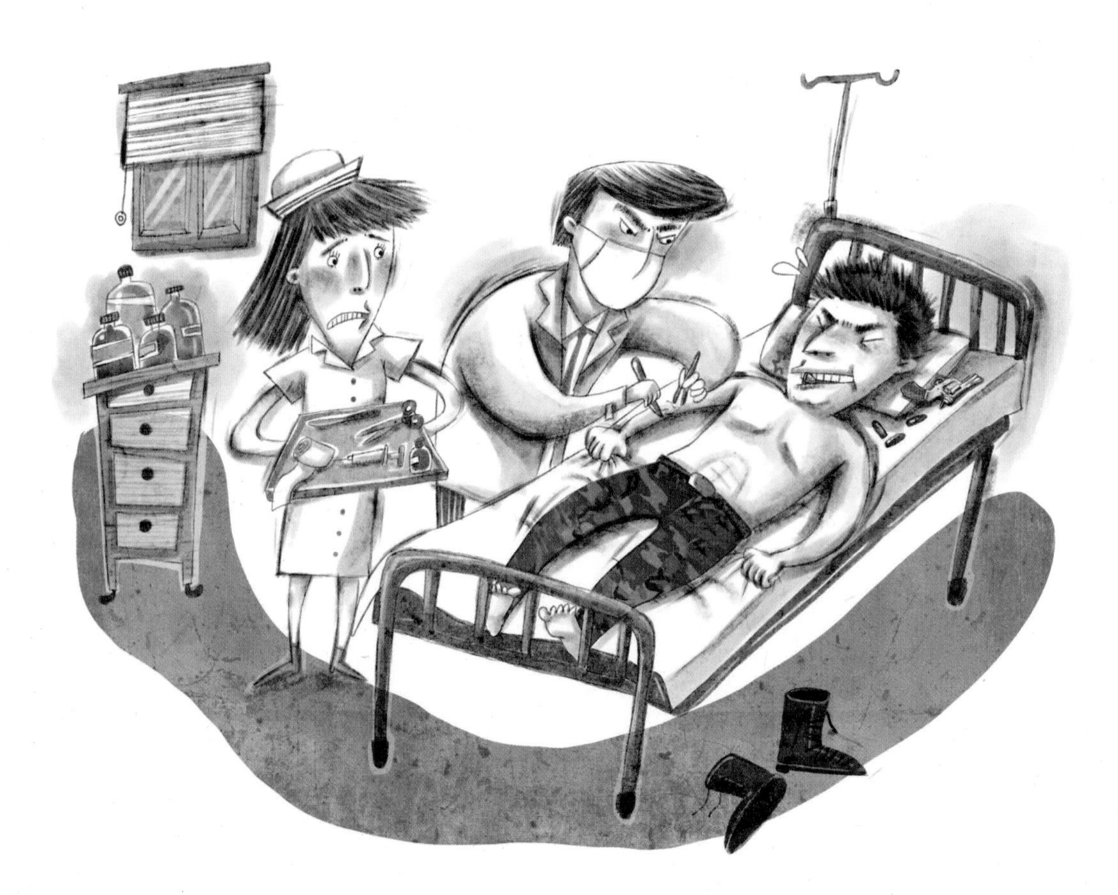

Answers p.04

1 윗글의 주제로 가장 적절한 것은? 주제 찾기

① 수술에서 마취제를 사용하기 시작한 이유
② 총알을 사용하는 다양한 방법
③ 어려운 시기를 이겨내는 방법
④ 총알을 물기 시작한 시기
⑤ '총알을 물다'라는 표현의 기원

2 윗글을 읽고, 다음 빈칸에 알맞은 말을 찾아 문장을 완성하시오. 문장 완성

In the past, doctors used ____________________ to make operations less ____________________.

3 윗글의 밑줄 친 endure와 뜻이 같은 것은? 어휘

① reduce ② bite ③ put up with
④ feel ⑤ take away

1 Patients / had to / put up with / much pain / during the operation.
→ ______________________________

2 Doctors / needed something / to make / patients / feel nothing / under painful surgery.
→ ______________________________

3 Doctors / would ask / the wounded soldiers / to literally / bite a bullet.
→ ______________________________

Funny Stories

One day, a young boy and his father came to the city from a small country village. It was their first visit to the city, and they saw something new. They were surprised when they saw the two shiny walls meeting in the middle and sliding sideways. They didn't understand what they were, or what they did. They just stood there staring at them. While they were watching them, a little old lady came walking up with a cane. She approached the moving walls and pressed the button. All of a sudden, the walls opened up and the old lady went inside! The boy and his father watched as the numbered lights above the walls lit up, stopped, and then started to light up again, this time in reverse order. They kept watching the numbers and the walls. Suddenly, the walls opened up again and a beautiful young woman walked out from inside them. The father got really excited and told his son, "Quick! Go get your mother, now!"

* reverse: 반대 방향의

Answers p.04

1 윗글의 마지막에서 아버지가 아들에게 어머니를 데려오라고 한 이유는? (내용 추론)

① 아내의 친구를 만나서
② 노부인이 아내의 어머니라서
③ 아내와 약속한 것이 갑자기 생각나서
④ 아내에게 아들의 여자친구를 소개 시켜 주려고
⑤ 두 개의 벽이 아내를 젊고 예쁘게 바꿔 줄 거라고 기대해서

2 윗글의 분위기로 가장 적절한 것은? (글의 분위기)

① sad ② humorous ③ boring
④ peaceful ⑤ scary

3 윗글의 밑줄 친 the two shiny walls가 가리키는 것은? (내용 이해)

① windows ② mirrors ③ a closet
④ an elevator ⑤ a phone booth

직독직해

1 It / was / their first visit / to the city, / and / they saw / something new.
→ ______________________________

2 They / didn't understand / what they were, / or / what they did.
→ ______________________________

3 They / kept watching / the numbers / and the walls.
→ ______________________________

Words Review

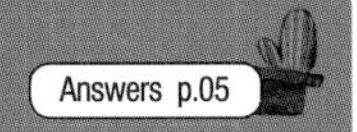

01

mentor	멘토, 조언자	originate	유래하다	mythology	신화
in charge of	~을 책임 진	palace	궁전	trust A with B	A에게 B를 맡기다
education	교육	role model	역할 모델, 모범이 되는 사람		
adviser	조언자	experienced	경험이 있는	advise	조언하다

02

bite	물다	bullet	총알	put up with	견디다
pain	고통	during	~ 중에	operation	수술
reduce	줄이다	patient	환자	painful	고통스러운
surgery	수술	ask	요청하다	wounded	부상당한
soldier	군인	literally	문자 그대로	endure	견디다
for sure	확실히	take away	없애다	difficult	어려운
situation	상황				

03

shiny	빛나는	slide	미끄러지다	sideways	옆으로, 옆에서
stare	쳐다보다	cane	지팡이	approach	다가가다
press	누르다	all of a sudden	갑자기	inside	안으로
light up	불이 켜지다	reverse	반대 방향의	humorous	웃긴, 재미있는

다음 설명에 해당하는 단어를 보기에서 찾아 쓰시오. 영영풀이

보기 pain　　wounded　　slide　　mentor　　press

1 ________ someone who teaches and helps a person with less experience
경험이 적은 사람을 가르치고 도와주는 사람

2 ________ hurt by something like a gun or knife
총이나 칼과 같은 것으로 다친

3 ________ the feelings that you have when you are hurt or sick
다치거나 아플 때 가지는 느낌

4 ________ to push something with force
힘을 줘서 무언가를 밀다

5 ________ to move smoothly over a surface
표면 위로 매끄럽게 움직이다

Guess What?

다음 중 다양한 감정을 표현하는 스페인 전통 무용은 무엇일까?

A

B

C

독해 탄탄 VOCA Check 1

01 Places

street
거리

crooked

vehicle

downhill

curve

sharp

steep

attraction

photograph

pedestrian

02 Psychology

power

think

compliment

spread

receive

hear

remember

tell

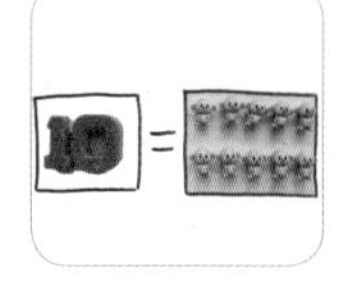
mean

happy

03 Entertainment

under

fair-skinned

compare

wing

peasant

dancing

land

traditional

flamingo

famous

독해 탄탄 VOCA Check 2

다음 빈칸에 알맞은 말을 넣어 문장을 완성하시오.

1 You may not have heard of the most  ______________ street.

2 Many  ______________s had trouble getting up and down the hill.

3 It is a one-way street going  ______________.

4 You have the  ______________ to make it happen.

5 They were ruddy and  ______________.

독해 탄탄 배경지식 넓히기

플라멩코(flamenco)

플라멩코(flamenco)는 스페인 남부의 안달루시아에서 시작된 민족 예술로서 노래, 춤, 음악 연주로 구성되어 있다. 슬픔, 기쁨, 공포 등의 다양한 감정과 심리 상태가 진정성을 담은 단순하고 간결한 가사의 노래를 통해서 전달된다. 열정과 구애, 슬픔 등과 같은 여러 상황 등을 춤을 통해서 나타나는데 일반적으로 여성은 부드럽고 관능적인 춤사위를 선보이는데 반해 남성은 발을 많이 사용한다. 일반적으로 연주를 위해서는 기타를 쓰지만, 캐스터네츠, 발 구르기, 박수 등 다른 악기들도 사용한다. 플라멩코는 축제, 의식 등 다양한 행사에서 여전히 공연되고 있으며 지속적으로 보존 및 전파되고 있다. 플라멩코는 그 문화적 가치를 인정받아 2010년에 유네스코(UNESCO) 인류무형문화유산으로 등재되었다.

Guess What? 정답: C

Places

Do you know what the longest or widest street in the world is? Then, how about the most crooked street? Lombard Street in San Francisco, California is famous for a one-block section, which has eight sharp curves. The crooked part of this street was first designed to reduce the hill's steep grade, since many vehicles and pedestrians had trouble getting up and down the hill. Now, it is a one-way street going downhill, and the speed limit is only 8km/h. It is also now one of the most famous attractions in San Francisco. 관광객들은 이 길을 따라 걷거나 차를 타고 내려가고, 길 앞에서 사진을 찍는 것을 좋아한다.

Answers p.05

1 윗글에서 롬바드 가에 급커브 구간을 만든 이유는? [이유 찾기]

① 차량들의 과속을 예방하기 위해서
② 가파른 언덕을 쉽게 다니게 하기 위해서
③ 직선 도로를 만들기 힘든 지형이라서
④ 관광객을 끌어들이기 위해서
⑤ 주변의 주택들이 불규칙적으로 퍼져 있어서

2 윗글에서 롬바드 가에 관한 내용과 일치하는 것은? [내용 일치]

① Many visitors travel to Los Angeles to see it.
② It was made to attract many tourists.
③ It has a block with eight sharp turns.
④ It is the widest street in California.
⑤ You can see many cars driving uphill on it.

서술형

3 윗글의 밑줄 친 우리말과 일치하도록 다음 주어진 단어를 이용하여 문장을 완성하시오. [문장 완성]
(take, to, love, walk, a photograph)

→ Visitors ______________________ or ride down the street and ______________________ in front of it.

직독직해

1 Many / vehicles and pedestrians / had trouble / getting up and down / the hill.
→ ______________________

2 Now, / it is / a one-way street / going downhill.
→ ______________________

3 It is / also now / one of the most famous attractions / in San Francisco.
→ ______________________

Psychology

Sometimes even a small word can have a big effect on a person. How do you feel ______(A)______ you hear someone tell you, "You did a good job"? We sometimes think that compliments are simple to give and don't mean all that much. But they really mean a lot. Always remember this! Every time someone does a good thing, try to give him or her some praise. ______(B)______ you give praise, you will know that it can make you happy as well as those receiving the praise. "What goes around comes around," means that if you spread good feelings to others, they will come back to you sooner or later. (do / good / want / you / something) to come back to you? You have the power to make it happen.

Answers p.06

1 윗글의 주제로 가장 적절한 것은? 주제 찾기

① 칭찬을 자주 받는 방법
② 자주 하는 칭찬의 문제점
③ 거짓 칭찬의 악영향
④ 칭찬 결핍에 따른 감정 변화
⑤ 칭찬의 좋은 영향

2 윗글의 빈칸 (A)와 (B)에 공통으로 들어갈 말로 가장 적절한 것은? 빈칸 추론

① what ② because ③ that
④ when ⑤ why

서술형

3 윗글의 괄호에 주어진 단어를 글의 흐름에 알맞게 배열하시오. 문장 완성
(do / good / want / you / something)

→ ______________________________ to come back you?

직독직해

1 Sometimes / even a small word / can have / a big effect / on a person.
→ ______________________________

2 It / can make you / happy / as well as / those / receiving / the praise.
→ ______________________________

3 You / have / the power / to make / it / happen.
→ ______________________________

Entertainment

(A)

The final theory that many people believe is that 'flamenco' comes from the Arabic 'fellah mengu.' Fellah mengu means 'peasant without land.' No matter which theory you believe, it is a truly amazing and beautiful style of dancing for us to try. Do you want to learn Flamenco dancing? Why not?

(B)

The most famous type of traditional dancing in Spain is called 'Flamenco' dancing. Do you know where this word comes from? Actually, nobody seems to know exactly; there are many different theories about it.

(C)

One simple theory is that this style of dancing looks similar to the way a flamingo moves. Another theory is that the name of flamenco comes from Flemings. Flemings were the people from Flanders, Belgium, occupied by Spain once. They were ruddy and fair-skinned compared to Spanish people. Because the color of the flamingo's under wings is a ruddy pink, Flemings were called flamenco, too.

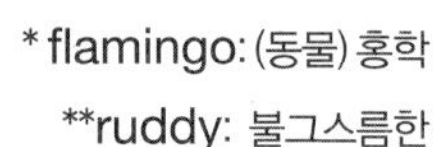
* flamingo: (동물) 홍학
**ruddy: 불그스름한

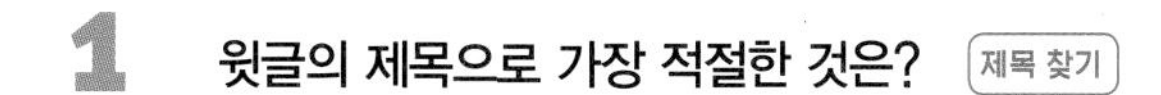
Answers p.06

1 윗글의 제목으로 가장 적절한 것은? 제목 찾기

① How to Dance Flamenco
② How Flamenco Got Its Name
③ Why the Spanish Love Flamenco
④ Movements of a Flamingo
⑤ The Life of Flemings

2 윗글 (A), (B), (C)의 순서로 가장 적절한 것은? 글의 순서 정하기

① (A) – (C) – (B)
② (B) – (A) – (C)
③ (B) – (C) – (A)
④ (C) – (A) – (B)
⑤ (C) – (B) – (A)

3 윗글에서 플레밍(Fleming) 사람들에 대한 내용과 일치하지 않는 것은? 내용 불일치

① 벨기에 출신이다.
② 스페인의 지배를 받았다.
③ 피부가 불그스름하면서 하얗다.
④ 플라멩코(flamenco)라고도 불린다.
⑤ 홍학의 움직임을 보고 춤을 만들었다.

1 It is / a truly amazing and beautiful style / of dancing / for us / to try.
→ ______

2 Do you know / where / this word / comes from?
→ ______

3 This style / of dancing / looks similar / to the way / a flamingo / moves.
→ ______

Words Review

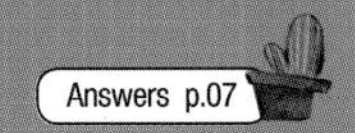
Answers p.07

01

crooked	구불구불한	famous	유명한	section	구역
sharp	급격한	curve	커브	design	고안하다
reduce	줄이다	hill	언덕	steep	가파른
vehicle	차량	pedestrian	보행자	downhill	내리막길로
speed limit	속도 제한	attraction	볼거리	in front of	~ 앞에

02

sometimes	때때로	effect	효과	compliment	칭찬
simple	단순한	mean	의미하다	praise	칭찬
spread	퍼지다, 퍼뜨리다	sooner or later	머지않아	power	힘
happen	발생하다				

03

theory	이론	peasant	소작농	exactly	정확히
similar	비슷한	occupy	점령하다	ruddy	불그스름한
fair-skinned	피부가 흰	compared to	~와 비교하여		

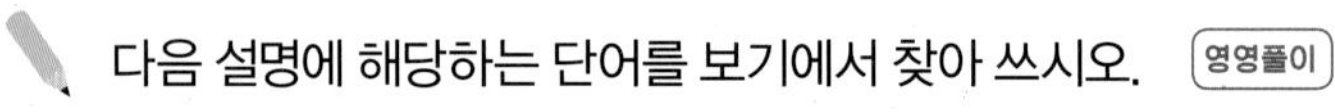
다음 설명에 해당하는 단어를 보기에서 찾아 쓰시오. 영영풀이

보기 theory pedestrian reduce similar spread

1 ____________ a person walking in the street
거리를 걷는 사람

2 ____________ to make something less or smaller
어떤 것을 줄이거나 더 작게 만들다

3 ____________ to make something present in more places
어떤 것을 더욱 널리 존재하게 하다

4 ____________ ideas that is used to explain facts or events
사실이나 사건을 설명하게 위해 사용되는 생각

5 ____________ almost the same as someone or something else
어떤 사람이나 물건과 거의 똑같은

다음 중 딸꾹질을 멈출 수 있는 가장 좋은 방법은 무엇일까?

A

B

C

독해 탄탄 VOCA Check 1

01 Health

several
몇몇의

cereal

meat

expert

balance

diet

fruit

dairy

healthy

pasta

02 Myth

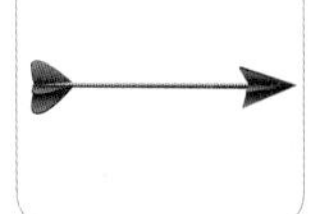
arrow

golden

strong

punish

goddess

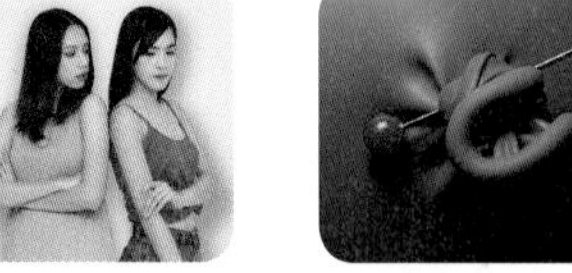
jealous

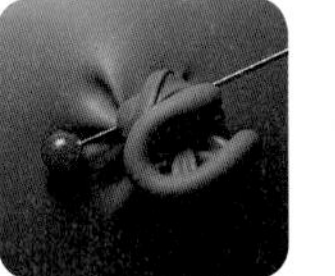
prick

heart

shoot

hate

03 Useful Info

hiccup

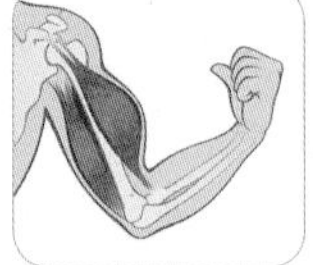
muscle

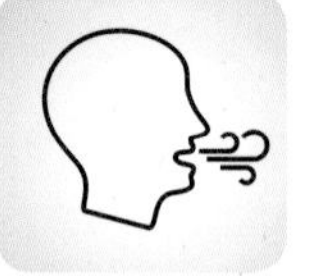
breathe

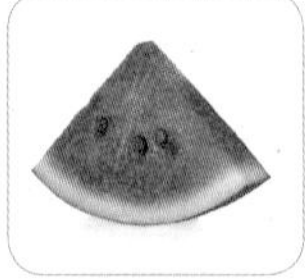
slice

pool

cube

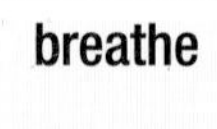

suck

remedy

surprise

drink

독해 탄탄 VOCA Check 2

다음 빈칸에 알맞은 말을 넣어 문장을 완성하시오.

1 If we eat ______________ foods together, it's better for us.

2 You should eat some ______________ and vegetables.

3 Cupid spreads love and hate with his two ______________s.

4 Hiccupping is related to the ______________ which helps us to breathe.

5 Another way is to hold your ______________ as long as you can..

독해 탄탄 배경지식 넓히기

딸꾹질은 횡격막이 수축을 일으켜서 성대의 두 막 사이에 있는 공간인 성문(聲門)이 열리고 성대가 닫혀 특이한 소리를 내는 현상을 일컫는다. 횡격막이 수축하는 원인은 대개 갑자기 생긴 변화로 인해 움직임을 조절하는 신경이 자극을 받았기 때문이다. 일반적으로 우리가 매운 음식을 먹을 때, 음식을 급하게 섭취할 때, 긴장을 할 때, 추운 곳에 오래 있을 때 등의 상황에서 나타날 수 있다. 딸꾹질이 계속될 때는 물을 천천히 마시기, 숨을 오래 참기, 설탕 섭취하기 등 증상을 멈출 수 있는 다양한 민간요법이 있다.

Health

What is your favorite food? Do you like meat? Or do you like fish? Vegetables? Pizza? What is the best food for our bodies? Well, it's actually a <u>combination</u> of many things! In other words, if we eat several foods together, it's better for us. That's right. Doctors and other experts say, "A well-balanced diet is the best thing for you." Every day you should eat some things from different 'groups' of food. What do we mean by different 'groups' of food? _____(A)_____, you should eat some meat and vegetables every day. And you should also eat some fruit, and some dairy products _____(B)_____ milk or yogurt. Always remember this; eating healthy means staying healthy! What you eat makes you what you are!

Answers p.07

1 윗글의 주제로 가장 적절한 것은? 주제 찾기

① 과식의 문제점
② 효과적인 다이어트 방법
③ 아침 식사의 중요성
④ 균형 잡힌 식단의 중요성
⑤ 독이 될 수 있는 음식의 종류

2 윗글의 밑줄 친 combination과 의미가 같은 단어는? 어휘

① eating
② cooking
③ link
④ chain
⑤ mixture

3 윗글의 빈칸 (A)와 (B)에 들어갈 말로 가장 적절한 것은? 빈칸 완성

	(A)		(B)
①	In addition	......	above
②	For example	......	such as
③	Yet	......	again
④	In addition	......	after all
⑤	Then	......	below

직독직해

1 Every day / you / should eat / some things / from different 'groups' of food.

→ ______________________________

2 You / should eat / some meat / and vegetables / every day.

→ ______________________________

3 What you eat / makes / you / what you are!

→ ______________________________

Myth

Cupid, the god of love, spreads love and hate with ⓐ his two arrows. If Cupid shoots someone with his golden arrow, ⓑ he or she will be in love with a person next to him or her. On the other hand, if ⓒ he shoots someone with his leaden arrow, he or she will feel great hate for the next person. There are many stories about Cupid's arrows. The most famous one is his own story. While ⓓ he was trying to punish Psyche by order of his mother, Venus, he pricked ⓔ himself with his love arrow accidentally and fell in love with Psyche. Unfortunately, love between them was not allowed because Psyche was just a human, and Venus was so jealous of Psyche's beauty. But they overcame all the difficulties, and the gods realized how strong their love was. 신들은 그녀를 여신으로 만들기로 결정했다. For this reason, a heart pierced by Cupid's arrow has become the most popular symbol of love.

* leaden: 납으로 만든

Answers p.08

1 윗글에서 큐피드(Cupid)가 프시케(Psyche)를 사랑하게 된 이유는? 이유 찾기

① 어머니의 명령에 복종하고 싶지 않아서
② 실수로 사랑의 화살을 자신에게 찌르게 되어
③ 프시케가 쏜 사랑의 화살에 맞아서
④ 다른 신들이 프시케를 사랑하게 만들어서
⑤ 프시케가 미움의 화살을 훔쳐서

2 윗글의 밑줄 친 ⓐ ~ ⓔ 중에서 가리키는 대상이 나머지 넷과 다른 것은? 지칭 추론

① ⓐ ② ⓑ ③ ⓒ
④ ⓓ ⑤ ⓔ

서술형

3 윗글의 밑줄 친 우리말과 일치하도록 괄호에 주어진 단어를 배열하시오. 문장 완성
(her / make / decided / the gods / a goddess / to)

→ ______________________________

직독직해

1 Love / between them / was not allowed / because / Psyche / was just a human.
→ ______________________________

2 The gods / realized / how strong / their love was.
→ ______________________________

3 A heart / pierced by Cupid's arrow / has become / the most popular symbol / of love.
→ ______________________________

Useful Info

We all have experienced hiccups at least once in our lifetime. Hiccupping has something to do with the diaphragm, which helps us to breathe. Hiccups happen when the diaphragm suddenly contracts. Sometimes the hiccups stop naturally, but at other times they never seem to end.

Here are some ways to stop them. The easiest and simplest way is to drink water slowly. Another way is to hold your breath as long as you can like when you're ready to jump into a pool. Sucking on a sugar cube or a slice of lemon is also effective to end them. And asking someone to surprise you also helps the hiccups to go away.

But, how do these home remedies work? They are effective because they stimulate a special nerve controlling the diaphragm, and the nerve will make the hiccups stop. There are other ways to stop hiccups, too, but you need to find out which one works best for you.

* diaphragm: 횡격막
**home remedy: 민간요법
*** stimulate: 자극하다

Answers p.08

1 윗글에 따르면, 딸꾹질은 언제 생기는가? 세부 사항

① 횡경막이 갑자기 수축할 때
② 몸에 수분이 부족할 때
③ 두뇌에 산소가 부족할 때
④ 달콤한 음식을 먹을 때
⑤ 숨이 찰 때

2 윗글을 읽고, 딸꾹질을 멈추기에 가장 어려움을 겪을 것 같은 사람은? 내용 추론

① Julie: I will stop breathing for more than one minute.
② Chris: I will eat something sour like a lemon.
③ Mark: I will add some salt in my food.
④ Kate: I will ask my brother to scare me.
⑤ Patrick: I will drink a bottle of water slowly.

3 윗글에서 딸꾹질을 멈추는 다양한 방법들의 공통적인 원리를 찾아 영어로 쓰시오. (8단어) 세부 사항

→ ______________________________

직독직해

1 Hiccupping / has something to do / with the diaphragm.

→ ______________________________

2 Another way / is / to hold your breath / as long as / you can.

→ ______________________________

3 You / need to / find out / which one / works best / for you.

→ ______________________________

Words Review

01

combination	결합	several	몇 개의	expert	전문가
well-balanced	균형 잡힌	dairy	유제품의	product	제품
importantly	중요하게	cereal	곡물		

02

spread	퍼뜨리다	arrow	화살	shoot	쏘다
golden	금으로 된	on the other hand	반면에	leaden	납으로 된
punish	벌하다	prick	찌르다	accidentally	실수로
unfortunately	불행히도	allow	허락하다	jealous	질투하는
beauty	아름다움	overcome	극복하다	difficulty	어려움
realize	깨닫다	pierce	찌르다	symbol	상징

03

experience	경험하다	hiccup	딸꾹질	breathe	숨쉬다
suddenly	갑자기	contract	수축하다	naturally	자연스럽게
hold	참다	breath	호흡	suck	빨다
cube	정육면체	slice	(얇게 벤) 조각	effective	효과적인
remedy	치료법	work	효과가 있다	stimulate	자극하다
nerve	신경	control	통제하다		

다음 설명에 해당하는 단어를 보기에서 찾아 쓰시오. 영영풀이

보기 contract dairy hiccup shoot remedy

1 ____________ milk, eggs, cheese and other milk products
우유, 계란, 치즈 및 기타 우유 제품

2 ____________ to make a bullet or arrow come from a weapon
총알이나 화살이 무기로부터 날아가게 만들다

3 ____________ a sudden, repeated movement of muscles in your chest
흉부 안의 근육이 갑자기 반복적으로 움직이는 것

4 ____________ a medicine or treatment
약이나 치유

5 ____________ to make something smaller or shorter
어떤 것을 더 작거나 짧게 만들다

다음 중 한국인에게 찾을 수 있는 가장 흔한 혈액형은 무엇일까?

A

B

C

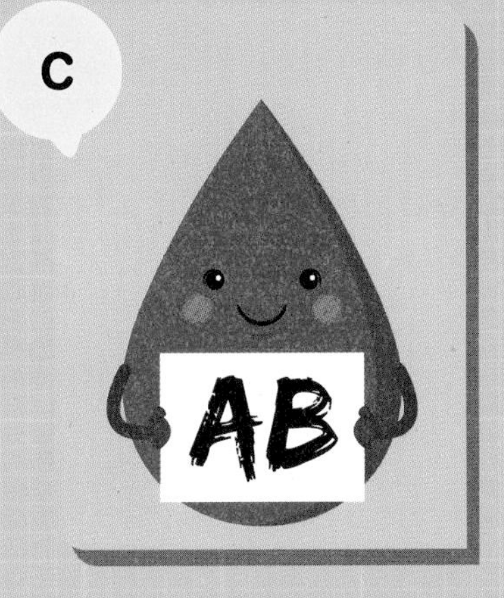

독해 탄탄 VOCA Check 1

01 Psychology

learn
배우다

graduation

student

lifetime

family

time

idea

answer

fun

job

02 Funny Stories

barbershop

wooden

shave

drawer

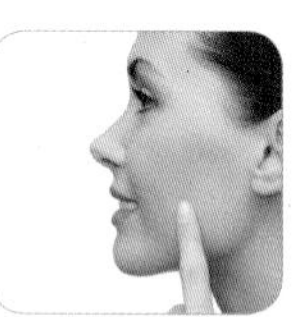
cheek

swallow

excited

reply

between

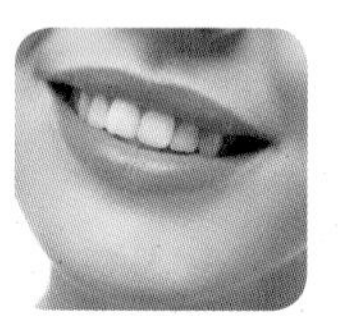
mouth

03 Interesting Facts

shy

imaginative

blood

share

attention

conversation

indicator

weird

believe

percentage

독해 탄탄 VOCA Check 2

다음 빈칸에 알맞은 말을 넣어 문장을 완성하시오.

1 Always be willing to work hard, and  _____________ new things.

2  _____________ isn't an end but a beginning!

3 A man went to a  _____________ to get a shave.

4 He went to a drawer and pulled out a small  _____________ ball.

5 In Korea, the most common 

_____________ type is A positive.

독해 탄탄 배경지식 넓히기

혈액형으로 사람의 성격을 알 수 있다?

전 세계에서 한국과 일본만큼 혈액형과 성격의 연관성을 굳게 믿는 곳도 없다. 심지어 서양에서는 자신의 혈액형이 무엇인지 잘 모를 정도로 큰 관심을 보이지 않는다. 그렇다면 왜 이 두 나라만 유독 혈액형과 성격의 연관성을 믿는 것일까? 사실 이 모든 것은 독일에서 시작되었다. 한 독일인 박사가 독일인의 우월성을 강조하기 위해 대부분의 게르만 민족의 피가 A형인 것을 이용하여 다른 인종보다 우수하다는 인종 우월론을 주장했다. 독일에서 유학 중이었던 어느 일본인이 관심을 보이고 그 연관성에 대해 논문을 발표했으나 그 당시 큰 파급력은 없었다. 하지만 수십 년 뒤에 어느 일본인 작가가 혈액형과 연관 지어 궁합이나, 직업, 대인관계 등에 대해 잡지책에 기고하면서 많은 사람의 관심을 끌었고, 이러한 것들이 한국으로 소개되면서 자연스럽게 한국인들도 혈액형과 성격이 관계가 있다고 믿게 되었다.

Guess What? 정답: A

01

Psychology

How can you be a happier person? There is no perfect answer, of course, but here are a few good suggestions for you. ____________, be open to new ideas. In other words, be open-minded, not closed-minded, and try to accept something new, or at least give it a chance. Also, never stop learning. Keep in mind that being a student is a lifetime job; graduation isn't an end but a beginning! Always be willing to work hard, and learn new things. If something helps you live a better and happier life, then it is worth working for. Finally, try to live a well-balanced life. Working hard is important, but you should also leave enough time for fun, family, and friends.

Answers p.09

1 윗글의 주제로 가장 적절한 것은? 주제 찾기

① Some tips for a happier life
② How to be a successful worker
③ Daily habits for a healthy life
④ Difference between fun and happiness
⑤ Importance of lifetime education

2 윗글에서 글쓴이의 조언으로 언급되지 않은 것은? 내용 불일치

① 끊임 없이 배워야 한다.
② 최대한 열심히 일해야 한다.
③ 균형 있는 생활을 해야 한다.
④ 새로운 생각에 마음을 열어야 한다.
⑤ 공부에는 때가 있으므로 열심히 해야 한다.

3 윗글의 빈칸에 들어갈 말로 가장 적절한 것은? 빈칸 완성

① However
② On the other hand
③ Therefore
④ First of all
⑤ In addition

1 Keep in mind / that / being a student / is / a lifetime job.

→ ______________________________

2 Always / be willing to / work hard, / and / learn / new things.

→ ______________________________

3 If / something helps / you / live / a better and happier life, / then / it is worth / working for.

→ ______________________________

Funny Stories

A man went to a barbershop to get a shave. He told the barber, "ⓐ I can't get a close shave at home." And ⓑ he also asked the barber, "How can I get a really close shave?" The barber thought about it for a moment, then he said, "ⓒ I have the perfect thing to help ⓓ you out." He went to a drawer and pulled out a small wooden ball. "Put this inside your mouth," he said, "in between your cheek and teeth." The man did this, and the barber continued to shave ⓔ him. As the barber was shaving him, the man realized that the barber was shaving him really closely. The man got excited and said, "This is great! But what happens if I swallow it?" "No problem," replied the barber, "Just bring it back tomorrow. That's what everyone else does."

Answers p.10

1 윗글에서 내용으로부터 추측할 수 있는 것은? 내용 추론

① 다른 손님들이 같은 나무 공을 여러 번 삼킨 적이 있다.
② 남자 손님이 물고 있던 공은 이발사가 직접 만들었다.
③ 이발소는 자주 면도를 하지 않는 손님들로 붐빈다.
④ 이발사는 멋지게 면도하는 것으로 유명하다.
⑤ 남자 손님은 짧은 헤어스타일을 선호한다.

2 윗글의 밑줄 친 ⓐ ~ ⓔ 중에서 가리키는 대상이 나머지 넷과 다른 것은? 지칭 추론

① ⓐ ② ⓑ ③ ⓒ ④ ⓓ ⑤ ⓔ

3 윗글에서 남자 손님이 만족스러운 면도를 받을 수 있도록 이발사가 한 일을 우리말로 쓰시오. 세부 사항

→ ______________________________

직독직해

1 A man / went / to a barbershop / to get a shave.
→ ______________________________

2 He / went to a drawer / and pulled out / a small wooden ball.
→ ______________________________

3 The man realized / that / the barber / was shaving him / really closely.
→ ______________________________

03

Interesting Facts

지문 MP3
모바일 단어장

"You're so shy, and you're quite introverted. Your blood type is A, isn't it?" "You're pretty weird and imaginative. I'm sure your blood type is AB. Am I right?" Have you heard a conversation like that? In Korea, people pay attention to blood types. They believe that a person's blood type can be an indicator of what his or her personality is like. So what are the most common blood types in Korea and all over the world? In Korea, the most common blood type is A positive. O positive and B positive come after that, with AB positive in fourth. Interestingly, Korea has a much higher percentage of AB positive people than any other country. Korea also has very few people with negative blood types; along with Hong Kong, it shares the lowest percentage of negative blood types in the world.

* introverted: 내성적인, 내향적인
** imaginative: 상상력이 풍부한
*** indicator: 지표, 척도

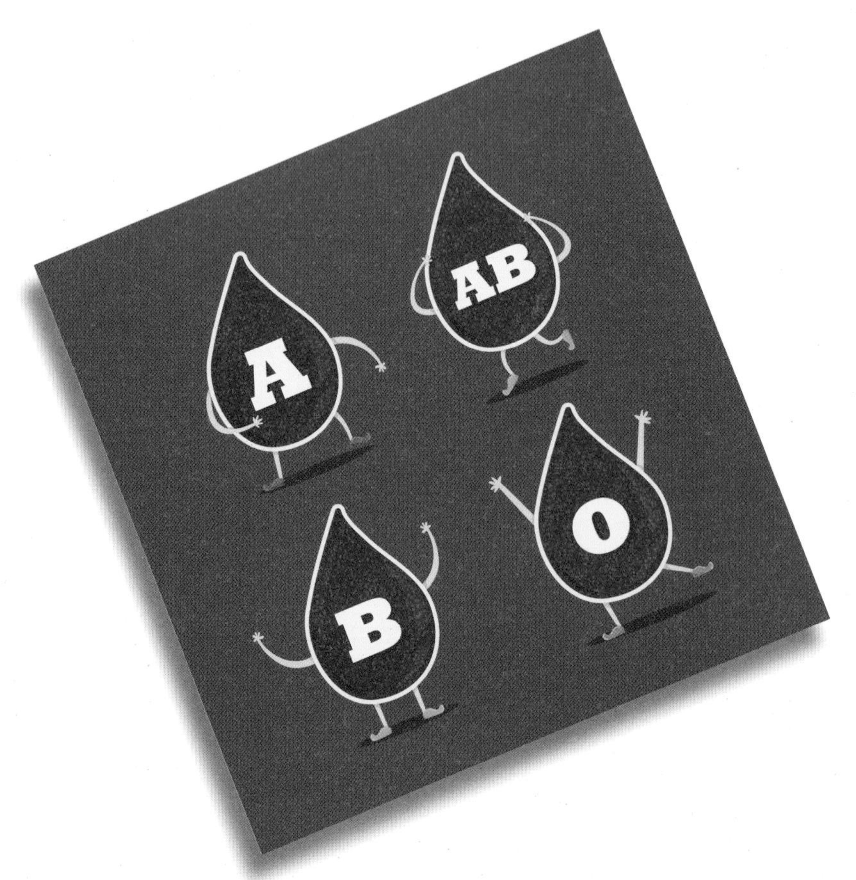

Answers p.10

1 윗글의 내용과 일치하는 것은? 내용 일치

① 한국에서 O형이 가장 적다.
② 세계에서 한국이 AB+형의 비율이 가장 높다.
③ 마이너스 혈액형은 한국에 가장 많다.
④ 플러스 혈액형은 홍콩에 가장 많다.
⑤ 실제로 성격과 혈액형은 긴밀한 관계가 있다.

2 윗글에서 한국에서 두 번째로 많은 혈액형으로 언급된 것은? 세부 사항

① A+ ② O+ ③ B+
④ AB+ ⑤ A-

3 윗글의 밑줄 친 weird의 의미로 가장 적절한 것은? 어휘

① 사악한 ② 조용한 ③ 예의 바른
④ 외향적인 ⑤ 특이한

직독직해

1 A person's blood type / can be / an indicator of / what his or her personality is like.

→ ______________________________

2 What are / the most common blood types / in Korea / and / all over the world?

→ ______________________________

3 Korea / has very few people / with / negative blood types.

→ ______________________________

Words Review

01

suggestion	제안, 추천	in other words	달리 말해	open-minded	개방적인
closed-minded	폐쇄적인	accept	받아들이다	chance	기회
learn	배우다	keep in mind	명심하다	lifetime	평생
graduation	졸업	willing	기꺼이 ~하는	worth	가치 있는
well-balanced	균형 잡힌				

02

barbershop	이발소	shave	면도(하다)	barber	이발사
perfect	완벽한, 딱 맞는	help out	돕다	pull out	꺼내다
wooden	나무로 된	continue	계속하다	realize	깨닫다
excited	신난	happen	발생하다	swallow	삼키다
reply	대답하다	bring	가져오다		

03

pretty	꽤	weird	특이한, 이상한	imaginative	상상력이 풍부한
conversation	대화	attention	주의	indicator	지표, 신호
common	흔한	positive	양성의	interestingly	재미있게도
percentage	퍼센트	negative	음성의		

다음 설명에 해당하는 단어를 보기에서 찾아 쓰시오. 영영풀이

보기 perfect imaginative common realize open-minded

1 ____________ willing to listen to or accept different ideas
다른 생각을 듣고 기꺼이 받아들일 의향이 있는

2 ____________ exactly right for a particular purpose or situation
어떤 목적이나 상황에 정확히 맞는

3 ____________ to know and understand something, or suddenly begin to understand it
어떤 것을 알고 이해하거나 갑자기 이해되기 시작하다

4 ____________ having or showing new and exciting ideas
새롭고 신나는 생각을 가지거나 보여주는

5 ____________ happening often and to many people or in many places
많은 사람들에게 또는 많은 곳에서 자주 발생하는

다음 중 흑인의 인권을 위해 헌신한 미국의 운동가이자 목사는 누구일까?

A

B

C

독해 탄탄 VOCA Check 1

정답 확인

Health

fat
뚱뚱한

weight

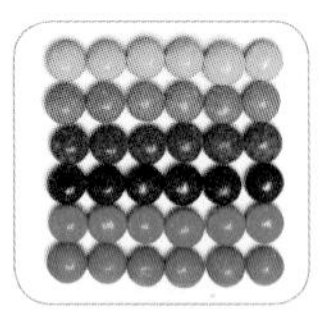
sort

exercise

walking

jogging

bicycle

ride

thin

lose

People

leader

speech

peaceful

race

violence

skin

judge

protest

emphasize

fix

Sports

difference

rugby

similar

rule

run

winner

trophy

invent

soccer

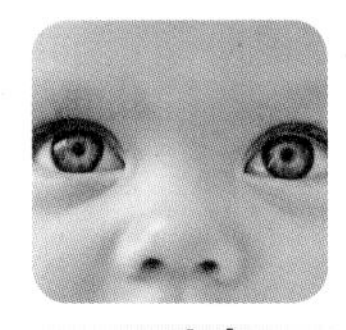
watch

독해 탄탄 VOCA Check 2

Answers p.11

다음 빈칸에 알맞은 말을 넣어 문장을 완성하시오.

1 Do you want to lose  ______________?

2 You should  ______________.

3 His most famous  ______________ is known as the "I Have a Dream" speech.

4 What was wrong with  ______________ relations in America?

5 The winner will get the  ______________ after the running race.

독해 탄탄 배경지식 넓히기

마틴 루터 킹 주니어(1929~1968)

1950년대 미국 남부에서는 흑인과 백인을 분리하는 법이 만연했다. 흑인은 흑인 전용 학교에 다녀야 했고 지정된 거주지에서 살아야 했다. 심지어 버스에서도 백인이 좌석 우선권이 있어서 백인이 타면 앉아 있던 흑인은 일어나야 했다. 한 흑인 여성이 백인에게 자리를 양보하라는 부당한 요구를 거절하다가 체포되는 일도 있었다. 이에 당시 목사였던 마틴 루터 킹 주니어는 이러한 부당한 법을 없애고자 1년 넘게 버스 보이콧 운동을 주도해, 마침내 그 버스 회사의 인종차별제도는 불법이라는 판결을 얻고 승리했다. 그 후 그는 흑인 인권과 미국 내에 존재하는 부당한 인종차별제도를 폐지하기 위해 전국적인 운동을 이끌었고 결국, 인종, 성, 민족, 종교 등을 전제로 차별하는 행위를 불법화하는 민권법에 대통령이 서명하도록 하는 업적을 이뤘다. 이로 인해 그는 노벨평화상까지 수상했지만, 인권을 위한 지속적인 행보 중 안타깝게도 1968년에 저격을 당해서 숨을 거두었다.

Guess What? 정답: B

Health

Do you think you're fat? Do you want to lose weight? If you want to lose weight, remember this. 몸무게를 줄이는 방법은 식사량을 줄이고 더 건강하게 먹는 것이다. And the other one is to burn off the extra calories that you eat. How? You should exercise. The best kind of exercise for losing weight is aerobic exercise, _______________, walking, jogging, and riding a bicycle. Most experts recommend that you do some sort of aerobic exercise for at least 45 minutes a day, 6 days a week. It should be continuous exercise if you want to get the best benefits from it! Enjoy walking or running, and you'll be thinner and healthier.

* aerobic exercise: 유산소 운동

Answers p.11

1 윗글에서 올바른 유산소 운동(aerobic exercise)에 해당하는 것은? 세부 사항

① 일주일에 5일, 총 45분 동안 걷기
② 일주일에 6일, 하루에 45분 걷기
③ 일주일에 7일, 한 시간 동안 자전거 타기
④ 하루에 20분씩 조깅하고 10분 쉬는 것을 반복하기
⑤ 일주일에 7일, 30분 동안 빠르게 걷기

서술형

2 윗글의 밑줄 친 우리말과 일치하도록 괄호에 주어진 단어를 배열하시오. 문장 완성
(healthier / eat / to / and / less)

→ One way of losing weight is ________________________.

3 윗글의 빈칸에 들어갈 말로 가장 적절한 것은? 빈칸 완성

① by the way ② then ③ for example
④ therefore ⑤ now

직독직해

1 If / you want / to lose weight, / remember this.
→ ________________________

2 The best kind of exercise / for losing weight / is / aerobic exercise.
→ ________________________

3 It / should be / continuous exercise / if / you want / to get the best benefits / from it!
→ ________________________

02

People

One of the most well-known Americans of the twentieth century was Martin Luther King Junior.

(A)

In his speech, he spoke about what was wrong with race relations in America, and he also said it could only be fixed through peaceful talking, not violence. He strongly believed that violence is never the way to achieve justice. He also talked about his dream for the future of a society that would judge people by their hearts and minds, rather than the color of their skin.

(B)

He was the most famous leader of the American Civil Rights Movement, and it was largely due to his hard work that made the movement successful. His most famous speech is known as the "I Have a Dream" speech; he gave it in 1963 in Washington D.C.

(C)

Sadly, his life ended before he turned 40. He was killed in 1968 on his hotel balcony when he was on his way to a protest rally. Today, he is remembered as an American hero, and there is a national holiday in his honor every January.

* civil rights movement: 시민 인권 운동

Answers p.12

1 주어진 글에 이어질 내용으로 순서대로 바르게 배열한 것은? 글의 순서 정하기

① (A) – (C) – (B)
② (B) – (A) – (C)
③ (B) – (C) – (A)
④ (C) – (A) – (B)
⑤ (C) – (B) – (A)

2 마틴 루터 킹 주니어에 대한 내용과 일치하지 않는 것은? 내용 불일치

① 미국 사회의 인종 차별과 싸웠다.
② 평화적인 수단을 지지했다.
③ 40세에 “I Have a Dream” 연설을 했다.
④ 1월에 마틴 루터 킹 주니어 기념일이 있다.
⑤ 1968년에 사망했다.

3 윗글의 밑줄 친 speech와 뜻이 같은 단어는? 어휘

① fight
② news
③ meeting
④ class
⑤ talk

1 It / could only be fixed / through peaceful talking, / not violence.

→ ______________________________

2 He / strongly believed / that / violence / is never the way / to achieve justice.

→ ______________________________

3 Today / he / is remembered / as an American hero.

→ ______________________________

Sports

Do you know the difference between rugby and American football? Rugby is very similar to American football, and, in fact, American football actually comes from rugby. Rugby was invented by accident in the town called Rugby, England in 1823.

A young school boy named William Webb-Ellis was playing soccer with the other boys at school called Rugby School. During the game, he caught the soccer ball in his hands and began to run with it. That is clearly against the rules of soccer. His teacher, however, watched it with interest and decided to create a new sport based on it. That sport came to be called rugby, named after ____________ where it was first played. Today, every four years there is a Rugby World Cup, much like the World Cup in soccer. The winner's trophy is called the William Webb-Ellis trophy, in honor of the young school boy that accidentally invented the popular game.

Answers p.12

1 윗글의 내용과 일치하지 않는 것은? 내용 불일치

① 럭비는 1823년에 생겼다.
② 럭비와 미식축구는 기원이 다르다.
③ 럭비는 원래 영국의 학교 이름이다.
④ 럭비 월드컵은 4년마다 열린다.
⑤ 럭비 트로피에 럭비를 만든 소년의 이름을 붙였다.

2 윗글의 빈칸에 들어갈 말로 가장 적절한 것은? 빈칸 완성

① a school teacher ② a sports team ③ the school and town
④ the stadium ⑤ the country

서술형

3 보기에 주어진 말을 이용하여 다음 요약문을 완성하시오. 요약문 완성하기

보기	created	popular	similar	named	honor

Rugby and American football are very ______________ and have the same origin. Rugby was ______________ in England in 19th century by a boy named William and his teacher. It was ______________ after the school where it was played for the first time. Just like soccer, Rugby is now a ______________ sport and has its own World Cup. The name of the World Cup trophy is William Webb-Ellis trophy, in ______________ of the inventor of the sport.

직독직해

1 Rugby / was invented / by accident / in the town / called Rugby, England / in 1823.

→ ____

2 He / caught the soccer ball / in his hands / and / began / to run / with it.

→ ____

3 His teacher / watched it / with interest / and / decided / to create / a new sport / based on it.

→ ____

Words Review

01

lose weight	몸무게를 줄이다	burn off	태워 없애다	extra	추가적인
calorie	칼로리, 열량	exercise	운동, 운동하다	expert	전문가
recommend	추천하다	sort	종류	at least	적어도
continuous	계속되는	benefit	이익, 혜택		

02

well-known	잘 알려진	century	세기	race	인종
relation	관계	peaceful	평화로운	violence	폭력
achieve	얻다, 이루다	justice	정의	judge	판단하다
rather than	~라기 보다는	movement	사회 운동	largely	대부분
due to	~때문에	speech	연설	turn	~로 되다
protest	항의	rally	집회	in one's honor	~에게 경의를 표하여

03

difference	차이점	actually	실제로	by accident	우연히
name	이름 짓다	catch	붙잡다	clearly	명백히
against	~에 반대되는	rule	규칙	decide	결정하다
based on	~에 기반한	accidentally	우연히	popular	인기 있는

다음 설명에 해당하는 단어를 보기에서 찾아 쓰시오. 영영풀이

보기 accidentally name extra benefit violence

1 ____________ more of something 어떤 것의 여분

2 ____________ a helpful or useful effect 도움되고 유용한 효과

3 ____________ actions that hurt someone 누군가를 다치게 하는 행동

4 ____________ to give a name to someone or something 어떤 사람이나 물건에 이름을 부여하다

5 ____________ in a way that is not planned or intended 계획되거나 의도되지 않은

다음 중 노르웨이 화가, 뭉크의 작품은 무엇일까?

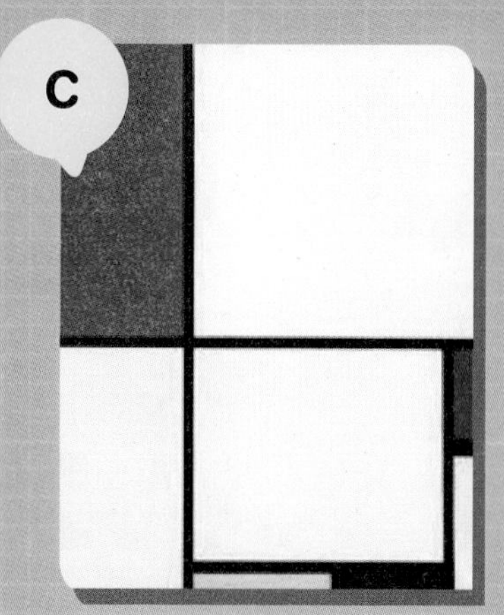

독해 탄탄 VOCA Check 1

Art

glow
붉어지다, 빛나다

blurry

pass

cover

scream

canvas

depressed

dark

comfort

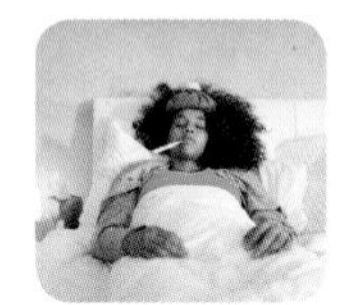
illness

Health

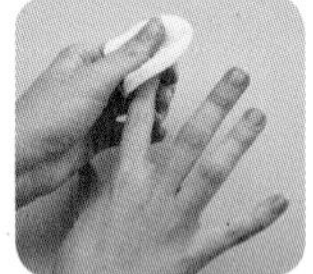
remove

essential

deliver

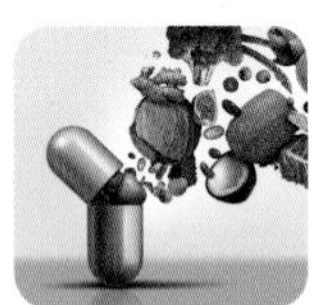
nutrient

headache

heart disease

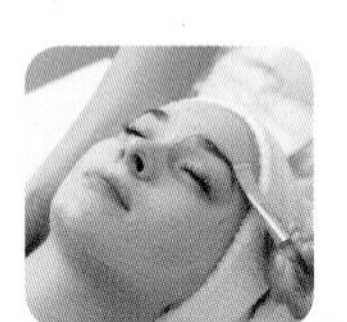
skincare

soft

clean

lack

Origin

debate

bible

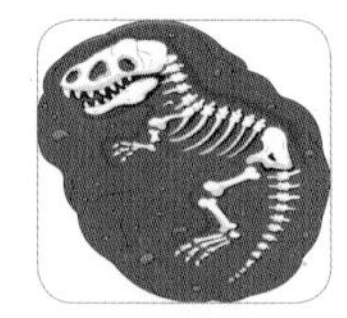
fossil

evidence

support

fluid

religious

evolution

contrary to

scientific

독해 탄탄 VOCA Check 2

Answers p.13

 다음 빈칸에 알맞은 말을 넣어 문장을 완성하시오.

1 Two men are  ______________ing by him.

2 It is not just paint on  ______________.

3 His "dark" style of painting makes viewers  ______________.

4 Water  ______________s nutrients all over our body.

5 Evolution has been explained by evidence like  ______________s.

독해 탄탄 배경지식 넓히기

에드바르트 뭉크(Edvard Munch, 1863~1944)

노르웨이의 명문가에서 태어난 표현주의 화가 뭉크는 허약한 체질로 인해 질병과 항상 싸워야 했으며 죽음의 공포에서 오는 불안에 항상 사로잡혔는데, 이것이 그의 작품과 사상에도 큰 영향을 주었다. 그는 심리적이고 감정적인 주제를 강력하게 다룸으로써 그의 그림을 보는 사람에게도 똑같은 감정을 자아내게 했다. 인간 조건에 대한 그의 미술적 표현은 사람의 감정에 호소하는 강렬한 힘을 가지고 있고, 이 호소력은 그를 노르웨이 최고의 화가이자 초기 현대미술의 가장 중요한 역할을 한 사람 중의 하나로 만들어 주었다. 그의 걸작 〈절규 (The Scream)〉는 세계적으로 가장 유명하고 인기 있는 작품 중 하나인데 유화, 파스텔화, 석판화 등 다양한 버전으로 제작되었다. 그 중 1895년에 제작된 파스텔로 그린 작품은 2012년에 경매에서 약 1350억 원에 팔려 세상을 놀라게 했다.

Guess What? 정답: B

01

Art

지문 MP3
모바일 단어장

Two men are passing by him. His hands are covering his ears and his mouth is wide open. He looks like he is hearing or seeing something terrifying. The sky is glowing red and everything else looks blurry and confusing. This is a description of The Scream. *The Scream* is the best-known painting of Edvard Munch. It is a good representation of Munch's style of painting. It is not just paint on canvas, but his own confession. Some people don't like his "dark" style of painting because it makes viewers depressed. On the other hand, others believe that it can comfort people experiencing mental illness.

* description: 묘사
** representation: 표현
*** confession: 고백

Answers p.13

1 윗글의 내용과 일치하는 것은? 내용 일치

① 뭉크는 <The Scream>을 유년기에 그렸다.
② 뭉크의 그림은 주로 삶의 긍정적인 부분을 표현한다.
③ 뭉크의 그림은 비평가들의 찬사를 받았다.
④ 뭉크의 그림이 정신적 고통을 치유한다고 믿는 사람들이 있다.
⑤ <The Scream> 속 인물은 뭉크의 아버지이다.

2 윗글에 따르면, 〈The Scream〉의 그림 속 분위기로 가장 적절한 것은? 내용 이해

① peaceful ② cheerful ③ hopeful
④ boring ⑤ gloomy

3 윗글의 밑줄 친 glowing과 뜻이 같은 단어는? 어휘

① drawing ② turning ③ changing
④ growing ⑤ burning

1 His hands / are covering / his ears / and / his mouth / is wide open.

→ ____________________

2 He / looks like / he is hearing / or / seeing / something terrifying.

→ ____________________

3 It is / not just paint on canvas, / but his own confession.

→ ____________________

Health

<u>당신은 하루에 얼마나 많은 물을 마시는가?</u> One liter? Two liters? We know that water helps our body to be clean and healthy. And many skincare experts say that drinking a lot of water is helpful for our skin. That's because of the nature of water. Water makes the circulation of blood fluids become active. Water is the essential substance for our body. It makes up 70~75% of our body weight. Water helps keep body temperature, deliver nutrients all over our body, and get rid of toxins from our body. It also controls the skin's natural balance. When we drink warm water, our skin gets softer, brighter, and cleaner. Warm water also removes blackheads and makes large pores smaller. If our body lacks water, our body will pull it from our blood. Then ______________________. And finally we can have high cholesterol, heart disease or headaches. If we really want to be more beautiful and healthy, why don't we fall in love with drinking water?

* circulation: 순환
** toxin: 독소
*** cholesterol: 콜레스테롤

Answers p.14

1 윗글을 읽고, 다음 중 물이 우리 몸에서 하는 역할로 옳지 않은 것은? 내용 불일치

① 체중을 유지시킨다.
② 혈액 순환을 돕는다.
③ 체온을 유지시킨다.
④ 영양분을 전달한다.
⑤ 피부가 깔끔해진다.

서술형

2 윗글의 밑줄 친 우리말과 일치하도록 괄호에 주어진 단어를 배열하시오. 문장 완성
(do / a day / you / how much / drink / water)

→ ______________________________

3 윗글의 빈칸에 들어갈 말로 가장 적절한 것은 빈칸 추론

① this can make our blood thicker
② you can gain more weight
③ we don't need water any more
④ our blood becomes cleaner
⑤ the skin looks brighter

직독직해

1 We know / that / water / helps / our body / to be clean / and healthy.
→ ______________________________

2 When / we drink / warm water, / our skin / gets / softer, brighter, / and cleaner.
→ ______________________________

2 Warm water / also / removes / blackheads / and / makes / large pores / smaller.
→ ______________________________

03

Origin

지문 MP3
모바일 단어장

From time to time, everyone wonders where humans came from. As for the question, there has always been the creation and evolution debate. Creation is a religious belief that the divine Creator made the world and its living creatures. Contrary to creation, evolution is a biological theory that all life has developed from previous forms of life, including human beings. ______(A)______ creation is based on the Bible, Charles Darwin supported his idea of evolution with evidence like fossils or different kinds of living things. ______(B)______, both of them have remained unproved. Creationists believe in creation, not because of scientific evidence but because of their faith. And evolutionists don't have supporting evidence to explain the process of how the primitive life evolved into advanced life. Therefore, whatever people say about the origin of human beings, follow your faith.

* creation: 창조론
** evolution: 진화론
*** primitive: 원시적인

Answers p.14

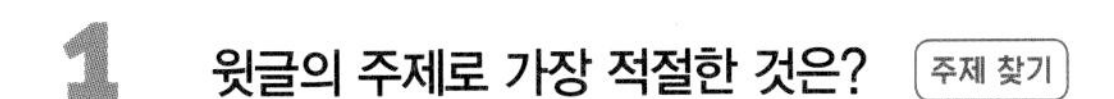

1 윗글의 주제로 가장 적절한 것은? 주제 찾기

① 다양한 진화이론들
② 인류의 기원에 관한 두 개의 이론
③ 창조론과 진화론이 서로 비슷한 점
④ 진화론의 문제점
⑤ 창조론의 역사적인 증거물

2 윗글의 빈칸 (A)와 (B)에 들어갈 말로 가장 적절한 것은? 빈칸 완성

	(A)		(B)
①	Yet	……	Besides
②	Although	……	Also
③	If	……	Again
④	Whether	……	For example
⑤	While	……	However

서술형

3 윗글에서 찰스 다윈이 진화론을 뒷받침하기 위해 사용한 증거 두 가지를 찾아 영어로 쓰시오. 세부 사항

→ ______________________________

직독직해

1 From time to time, / everyone wonders / where / humans / came from.

→ ______________________________

2 As for the question / there has always been / the creation and evolution debate.

→ ______________________________

3 Whatever / people say / about the origins / of human beings, / follow / your faith.

→ ______________________________

Words Review

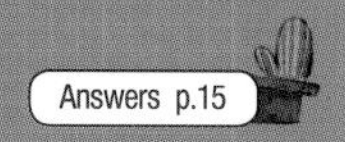

01

pass by	지나가다	cover	덮다	wide	넓게
terrifying	무서운	glow	붉어지다, 빛나다	blurry	흐릿한
confusing	헷갈리게 만드는	description	묘사, 설명	representation	나타냄
canvas	캔버스	confession	고백	viewer	보는 사람
depressed	우울한	comfort	위로하다	mental	정신적인
peaceful	평화로운	cheerful	쾌활한	hopeful	희망에 찬
boring	지루한	gloomy	우울한		

02

because of	~ 때문에	blood	피, 혈액	fluid	액체
essential	필수적인	substance	물질	make up	구성하다
deliver	전달하다	nutrient	영양분	get rid of	~를 제거하다
control	제어하다	remove	제거하다	pore	모공, 구멍
thick	(농도가) 진한	headache	두통		

03

wonder	궁금하다	debate	논쟁	religious	종교의
divine	신성한	creature	생명체	biological	생물의
develop	발전하다	previous	이전의	form	형태
including	~를 포함하여	evidence	증거	remain	~인 상태이다
unproved	증명되지 못한	faith	믿음, 신념	supporting	지지하는
primitive	원시의	advanced	고등의		

다음 설명에 해당하는 단어를 보기에서 찾아 쓰시오. 영영풀이

보기 deliver   pass by   divine   essential   depressed

1 ____________ to go past a person, or a place 사람이나 장소를 지나치다

2 ____________ very unhappy; so unhappy that you cannot live a normal life
매우 불행한; 정상적인 삶을 살아갈 수 없을 정도로 매우 불행한

3 ____________ to take things to a particular place or person 어떤 것을 특정 장소나 사람에게 가져가다.

4 ____________ so important that you must do or have it 꼭 해야 하고 가지고 있어야 할 정도로 중요한

5 ____________ relating to God or a god 신과 관계된

1 FESTIVALS
부활절에 왜 달걀을 먹을까?

2 SUPERSTITION
검은 고양이의 진실

3 INTERESTING JOBS
작가가 된다는 것

Guess What?

다음 중 서양에서 마녀의 심부름꾼으로 여겨졌던 동물은 무엇일까?

A

B

C

독해 탄탄 VOCA Check 1

01 Festivals

colorfully
형형색색의

spring

fertility

outside

celebration

attach

custom

decorated

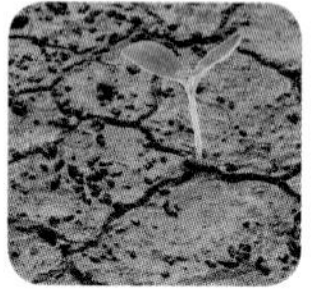
reborn

hide

02 Superstition

in front of

cross

path

superstition

devil

witch

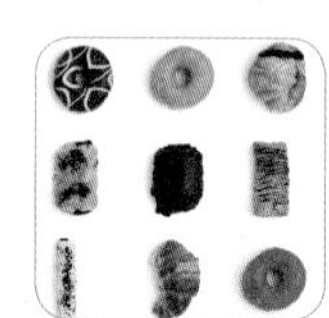
various

luck

group

worry

03 Interesting Jobs

writer

magazine

newspaper

politician

pamphlet

elect

president

translate

manual

import

독해 탄탄 VOCA Check 2

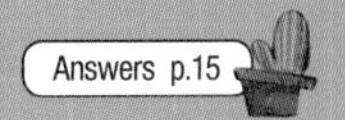
Answers p.15

다음 빈칸에 알맞은 말을 넣어 문장을 완성하시오.

1 The ______________ decorated eggs are in the basket.

2 A black cat crossed  ______________ me.

3 A black cat was like a  ______________.

4 Many professional writers write for  ______________s.

5 They write  ______________s.

독해 탄탄 배경지식 넓히기

검은 고양이 – 행운 또는 불운의 상징

고양이 중 특히 검은색 고양이는 문화와 지역에 따라 흉조 또는 길조로 정반대의 상징으로 간주되어 왔다. 오래 전부터 검은 고양이는 악마나 마법과 관계가 있다고 여겨졌는데, 대부분의 유럽 국가에서는 검은 고양이 앞을 지나는 것이 불길한 징조라고 생각되었다. 검은 고양이가 사탄의 분신이고 흑사병을 옮기는 원인이라는 믿음도 있었으며, 특히 마녀의 심부름꾼으로도 알려져 있어 발견될 시 끔찍하게 화형을 당하기도 했다. 반대로 어떤 곳에서는 행운의 상징으로도 여겨지는데, 현관에 검은 고양이가 있으면 부귀의 징조로 여겼으며, 어업 때문에 바다로 나간 남편의 안전을 위해 위험을 막는 상징으로 검은 고양이를 키우기도 했다.

Guess What? 정답: C

01

Festivals

An egg has always represented spring, fertility, and richness since the old days. Because the egg looks hard and dead on the outside, but has a new life inside, people often compare it to springtime when the long and harsh winter is over and all the creatures are reborn. ____________, Christians connected the egg with the resurrection of Jesus and attached it to the Easter celebration. The Easter egg custom dates back to the 4th century A.D. Even now the colorfully decorated eggs or egg-shaped chocolates are given as gifts or hidden for children to find on Easter Day.

* fertility: 비옥함, 생식력
** resurrection: 부활
*** Easter: 부활절

Answers p.15

1 윗글의 제목으로 가장 적절한 것은? 제목 찾기

① The Origin of Easter Eggs
② The Symbol of Eggs, Love
③ The Custom of Eating Easter Eggs
④ How to Celebrate Easter
⑤ Hiding Eggs on Easter Day

2 윗글에서 달걀이 상징하는 의미가 아닌 것은? 내용 불일치

① 봄 ② 풍요로움 ③ 부활
④ 장수 ⑤ 새 생명

3 문맥상 윗글의 빈칸에 들어갈 말로 가장 적절한 것은? 빈칸 추론

① In other words ② At that time ③ For this reason
④ For example ⑤ In addition

직독직해

1 The long and harsh winter / is over / and / all the creatures / are reborn.

→ ______________________________

2 The Easter egg custom / dates back / to the 4th century A.D.

→ ______________________________

3 The colorfully / decorated eggs / or egg-shaped chocolates / are given / as gifts.

→ ______________________________

02

Superstition

"Oh, no! A black cat crossed in front of me!" "What's the big deal?" "Don't you know that? When a black cat crosses your path, you'll be unlucky." What do you think? Do you believe in this kind of superstition? In fact, 미신을 이해하거나 설명하는 것은 어렵다. The idea of a black cat goes back many centuries. At that time, many people felt that a black cat was like the devil. Here's the reason. The devil was known as the leader of a group of witches. And the witches had a black cat, and the devil usually changed into a black cat in various stories. That's why a black cat was considered as a symbol of bad luck. Is a black cat really evil? Well, there is no scientific evidence to support such an idea. So don't worry. A black cat crossing your path is simply a(n) ______________.

Answers p.15

1 윗글에서 검은 고양이가 불운의 상징이 된 이유로 언급된 것은? 이유 찾기

① 마녀의 집 주변에 검은 고양이들이 산다는 전설 때문에
② 검은 고양이는 악마의 부하라는 전설 때문에
③ 악마가 검은 고양이로 변한다는 전설 때문에
④ 검은 고양이가 어두운 곳을 좋아하기 때문에
⑤ 검은 고양이가 무리를 지어 말썽을 일으키기 때문에

2 문맥상 윗글의 빈칸에 들어갈 말로 가장 적절한 것은? 빈칸 완성

① devil ② evidence ③ superstition
④ witch ⑤ bad luck

서술형

3 윗글의 밑줄 친 우리말과 일치하도록 괄호에 주어진 단어를 배열하시오. 문장 완성
(superstitions / hard / it's / or explain / to understand)

→ ____________________

직독직해

1 The devil / was known as / the leader / of a group of witches.

→ ____________________

2 That's why / a black cat / was considered / as / a symbol / of bad luck.

→ ____________________

3 There is no / scientific evidence / to support / such an idea.

→ ____________________

03

Interesting Jobs

(A)

Another type of writing job does not look so attractive, but pays really well. Many people have problems using imported electronic products because their manuals were written in another language. So, many companies hire translators, who rewrite manuals in other languages.

(B)

For example, many professional writers write for politicians. They write pamphlets and other kinds of campaign materials to help politicians get elected. They also write speeches and "sound bites" for them. Even the president is helped by those writers when he or she prepares a speech.

(C)

Do you like writing or making up interesting stories? What do you think about being a writer? We often think of a writer as someone who writes books, or newspaper or magazine articles. It is true, but there are some unusual writing jobs you've hardly heard of.

* translator: 번역가
** sound bite: (특히 정치의 연설에서 따온) 짧고 효과적인 어구

Answers p.16

1 주어진 (A), (B), (C) 글의 순서로 가장 적절한 것은? 글의 순서 정하기

① (A) – (C) – (B) ② (B) – (A) – (C) ③ (B) – (C) – (A)
④ (C) – (A) – (B) ⑤ (C) – (B) – (A)

2 윗글에서 작가가 하는 일로 언급되지 않은 것은? 내용 불일치

① 신문 잡지 기사 작성
② 정치인 홍보 자료 작성
③ 정치인 연설문 작성
④ 연극, 영화 대본 작성
⑤ 사용설명서 번역

3 윗글의 밑줄 친 imported의 정의로 옳은 것은? 어휘

① exciting and fun
② elected to a position
③ different from a normal condition
④ causing interest or pleasure
⑤ brought from another country

1 Many people / have problems / using / imported electronic products.
→ ______________________________

2 Many companies / hire / translators, / who rewrite manuals / in other languages.
→ ______________________________

3 There are / some unusual / writing jobs / you've hardly / heard of.
→ ______________________________

Words Review

Answers p.17

01

represent	나타내다	fertility	비옥함, 생산성	richness	풍요
compare	비유[비교]하다	harsh	가혹한	creature	생명체
reborn	재탄생하다	connect	연결하다	attach	부여하다
celebration	축하, 기념	date back	(과거로) 거슬러 올라가다		
colorfully	형형색색의	decorate	꾸미다	egg-shaped	달걀 모양의

02

in front of	~ 앞에서	a big deal	대단한 것	path	길
unlucky	불행한, 불길한	believe in	~를 믿다	superstition	미신
devil	악마	reason	이유	witch	마녀
change into	~로 변하다	various	다양한	consider	~라고 여기다
symbol	상징	scientific	과학적인	evidence	증거

03

attractive	매력적인	pay well	후하게 지불하다	imported	수입된
electronic	전자의	manual	사용설명서	translator	번역가
professional	전문적인	writer	작가	politician	정치인
pamphlet	전단지	material	자료	get elected	당선되다
speech	연설	president	대통령	make up	(이야기를) 지어내다
think of A as B	A를 B로 여기다	magazine	잡지	article	기사
unusual	평범하지 않은, 특이한				

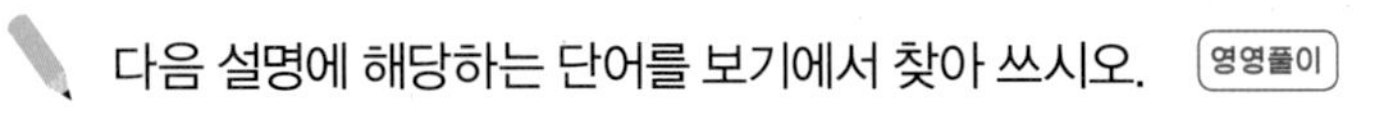
다음 설명에 해당하는 단어를 보기에서 찾아 쓰시오. 영영풀이

보기: magazine unlucky decorate translator believe in

1 ____________ to make something look more attractive 어떤 것을 더 매력적으로 보이게 하다

2 ____________ to think that something is effective or right 어떤 것이 유효하고 옳다고 생각하다

3 ____________ having bad luck 운이 나쁜

4 ____________ someone who changes writing into a different language
어떤 글을 다른 언어로 바꾸는 사람

5 ____________ a thin book with news stories and photos that is sold weekly or monthly
주마다 혹은 달마다 팔리는 뉴스, 사진이 담긴 얇은 책

다음 중 미국 여행 중 볼 수 있는 관광지는 어디일까?

A

B

C

독해 탄탄 VOCA Check 1

정답 확인

Interesting Facts

 oxygen 산소	 vapor	 climb	 sea	 mountain
 bottle	 same	 amount	 wrong	 level

Ethics

 ring	 owner	 turn	 tomb	 feed
 flock	 tempt	 queen	 shepherd	 invisibility

Places

 stone	 face	 carved	 cliff	 preserve
 slavery	 economy	 history	 inspire	 expand

독해 탄탄 VOCA Check 2

Answers p.17

다음 빈칸에 알맞은 말을 넣어 문장을 완성하시오.

1 The air is a mixture of nitrogen and  ______________.

2 People take oxygen bottles when they  ______________ really high mountains.

3 Gyges was only a good  ______________.

4 He found the ring in a  ______________.

5 There is a mountain with four great stone faces  ______________ into it.

독해 탄탄 배경지식 넓히기

러시모어 산(Mount Rushmore)

미국 사우스다코타 주에 위치한 러시모어 산은 미국 대통령의 얼굴이 암석에 조각되어 있는 것으로 유명하다. 약 15년 동안 못과 망치로 조각하여 1941년에 완성되었으며 현재 사우스다코타 주에서 관광객이 가장 많이 찾는 명소가 되었다. 조각된 4명의 위대한 대통령 얼굴 나열 순서는 실제 왼쪽에서 오른쪽으로 조각되어 있는 순서와 같다.

조지 워싱턴
(George Washington, 1732~1799)
1대 대통령. 미국 독립전쟁을 승리로 이끌고 민주국가의 탄생을 위해 힘씀

시어도어 루스벨트
(Theodore Roosevelt, 1858~1919)
26대 대통령. 파나마운하를 건설, 러일전쟁을 종식시켜 노벨평화상 수상. 곰인형 '테디 베어'는 그의 애칭인 '테디'에서 비롯됨.

토머스 제퍼슨
(Thomas Jefferson, 1743~1826)
3대 대통령. 미국 독립선언문 작성한 건국의 아버지 중 1인

에이브러햄 링컨
(Abraham Lincoln, 1809~1865)
16대 대통령.남북전쟁을 승리로 이끌고 노예해방선언 등 여러 공을 세움.

Guess What? 정답: B

01

Interesting Facts

지문 MP3
모바일 단어장

What exactly are we breathing in when we take a breath? Actually, we don't think that much about the air around us but, in fact, we spend our whole life breathing it in! Still, we rarely think about it unless there is something wrong. The air is a mixture of nitrogen and oxygen. These two gases make up almost 99% of the air, and the rest is a mixture of other gases and water vapor. At sea level these numbers stay almost the same. However, if you start climbing up a mountain, you will notice that the air becomes '____________.' The oxygen content gets smaller, so it takes more breathing to get the same amount of oxygen to your body. That is why people take oxygen bottles when they climb really high mountains.

* nitrogen: 질소
** vapor: 수증기

Answers p.17

1 윗글의 목적으로 가장 적절한 것은? 목적 찾기

① 사과 ② 충고 ③ 광고 ④ 설득 ⑤ 설명

2 윗글의 내용과 일치하지 않는 것은? 내용 불일치

① 공기 중에는 수증기가 포함되어 있다.
② 높은 산을 오를 때 사람들은 산소통을 챙긴다.
③ 해수면에서 산소의 수치가 가장 낮다.
④ 두 가지의 기체가 공기의 대부분을 차지한다.
⑤ 높은 산에 올라가면 올라갈수록 산소가 적어진다.

서술형

3 윗글을 읽고, 공기를 가장 많이 구성하는 기체를 모두 찾아 영어로 쓰시오. 세부 사항

→ ______________________________

4 윗글의 빈칸에 들어갈 말로 가장 적절한 것은? 빈칸 완성

① cleaner ② dirtier ③ thinner
④ thicker ⑤ colder

직독직해

1 We / spend / our whole life / breathing it in.

→ ______________________________

2 We / rarely think / about it / unless / there is / something wrong.

→ ______________________________

3 It takes / more breathing / to get / the same amount of oxygen / to your body.

→ ______________________________

Ethics

In the book of *The Republic*, Plato mentioned the story of "The Ring of Gyges." This ring presents its owner with the ability to be unseen at will. If a person puts it on and turns the ring a little, he or she becomes invisible. Gyges, who was only a good shepherd, found the ring in a tomb while he was feeding his flock. And he found out that the ring had a special power. Using the power of invisibility, he tempted the queen and killed the king with the help of the queen. Eventually, he became the king himself. Through this story, this book discusses the morality of the unpunished condition. If there is no punishment for someone's actions, will a moral and an immoral person behave in the same way? This story suggests that both a just and an unjust person act immorally without the fear of punishment as Gyges did. 당신은 무엇을 하겠는가 if you have the ring of Gyges?

* *The Republic*: 국가론
**invisibility: 눈에 보이지 않음
***morality: 도덕성

Answers p.17

1 윗글을 읽고, 플라톤(Plato)이 동의할 만한 내용을 고르시오. 내용 추론

① 선행은 남몰래 베풀어야 한다.
② 어렸을 때 가정교육을 제대로 받아야 한다.
③ 지나친 처벌은 부작용이 따른다.
④ 법이 엄격해야 사회 질서가 유지된다.
⑤ 정치 지도자가 솔선수범해서 법을 지켜야 한다.

2 윗글의 내용과 일치하도록 다음 빈칸 (A), (B)에 각각 들어갈 알맞은 말을 고르시오. 세부 사항

The ______(A)______ of the ring can be ______(B)______ and do anything he or she wants.

	(A)		(B)
①	shepherd	……	visible
②	owner	……	invisible
③	person	……	moral
④	king	……	punished
⑤	queen	……	immoral

서술형

3 윗글의 밑줄 친 우리말을 문맥에 알맞게 영어로 바꾸시오. (4단어) 문장 완성

→ ______________________________

직독직해

1 This ring / presents / its owner / with the ability / to be unseen / at will.
→ ______________________________

2 He / found out / that / the ring had / a special power.
→ ______________________________

3 What / will you do / if / you have / the ring of Gyges?
→ ______________________________

03

Places

Have you ever read *The Great Stone Face* by Nathaniel Hawthorn? Do you know there ⓐ <u>is</u> really a mountain with four great stone faces carved into it like the one in the story? Actually, there is one called Mount Rushmore in South Dakota. Four faces were carved into the cliff, and each face is 18 meters high. The four faces ⓑ <u>are</u> the former presidents of the United States: George Washington, Thomas Jefferson, Theodore Roosevelt, and Abraham Lincoln. All four presidents ⓒ <u>had</u> great leadership skills and abilities; they made it possible for the United States to break free from Great Britain, expand its territory, preserve the Union and end slavery, and ⓓ <u>developing</u> its economy. The Mount Rushmore National Memorial now one of the most famous symbols of the United States, represents an aspect of early American history. About one million people ⓔ <u>visit</u> the place each year and become inspired by the great presidents as the main character of Hawthorn's book was inspired by the Great Stone Face.

* the Union: 연방주, 북군
** slavery: 노예제
*** The Mount Rushmore National Memorial: 러시모어 국립 기념공원

Answers p.18

1 윗글에서 조각상 인물들의 공로로 언급되지 않은 것은? 내용 불일치

① 미국의 독립　② 영토 확장　③ 노예제 폐지
④ 경제 발전　⑤ 빈부 격차 해소

2 윗글의 밑줄 친 ⓐ ~ ⓔ 중 어법상 옳지 않는 것은? 어법

① ⓐ　② ⓑ　③ ⓒ
④ ⓓ　⑤ ⓔ

서술형

3 보기에 주어진 말을 이용하여 다음 요약문을 완성하시오. 요약문 완성하기

보기	inspires	develop	carved	symbols

The Mount Rushmore National Memorial in South Dakota is one of the best known ______________ of the United States. The faces of some of the greatest U.S presidents are ______________ into the mountain. The presidents were great leaders and helped America ______________ into a stronger country. The place has become a popular tourist attraction and ______________ about one million people visiting it every year.

직독직해

1 Four faces / were carved / into the cliff, / and / each face / is / 18 meters high.
→ ______________________________

2 The Mount Rushmore National Memorial / represents / an aspect / of early American history.
→ ______________________________

3 About one million people / become inspired / by the great presidents.
→ ______________________________

Words Review

Answers p.19

01

exactly	정확히	breathe	숨쉬다	breath	숨, 호흡
spend	(시간을) 보내다	whole	전체의	still	그러나
rarely	좀처럼 ~하지 않다	unless	~하지 않으면	wrong	잘못된
mixture	혼합	oxygen	산소	make up	구성하다
climb	오르다	notice	알아차리다	content	내용물

02

mention	언급하다	owner	소유주	ability	능력
unseen	안 보이는	at will	마음대로	invisible	보이지 않는
shepherd	양치기	tomb	무덤	feed	먹이다
flock	한 무리의 가축	special	특별한	tempt	유혹하다
eventually	마침내	discuss	논의하다	morality	도덕성
condition	상태, 조건	punishment	처벌	moral	도덕적인
behave	행동하다	just	정당한	unjust	부당한
immoral	비도덕적인	fear	두려움		

03

carve	깎다, 조각하다	former	이전의	possible	가능한
expand	확장하다	territory	영토	preserve	보존하다
economy	경제	symbol	상징	represent	나타내다
aspect	측면	inspire	영감을 주다		

다음 설명에 해당하는 단어를 보기에서 찾아 쓰시오. 영영풀이

보기 invisible territory whole behave spend

1 ______________ to use time doing some activity. 시간을 어떤 활동을 하는데 사용하다

2 ______________ all of something. 어떤 것의 모든 것

3 ______________ impossible to see 보는 것이 불가능한

4 ______________ to act in a particular way 특정 방식으로 행동하다

5 ______________ land that belongs to a country 한 나라에 속한 땅

다음 중 유색인종 차별 정책에 맞서 싸운 남아프리카공화국의 정치 지도자는 누구일까?

A

B

C

독해 탄탄 VOCA Check 1

정답 확인

Health

meal
식사

breakfast

provide

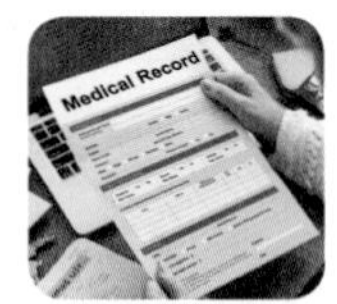

record

attendance

perform

behavior

fighting

listening

teacher

People

great

world

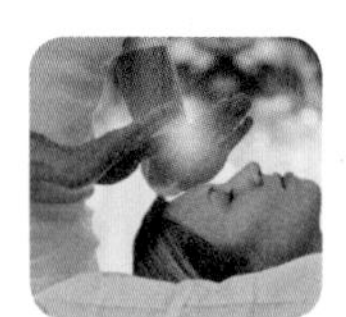
heal

unfair

prison

forgive

tear

government

jail

revenge

Interesting Jobs

pet

testify

refuse

snarl

horse

animal

information

include

motivation

ability

독해 탄탄 VOCA Check 2

다음 빈칸에 알맞은 말을 넣어 문장을 완성하시오.

1 Breakfast is the most important ______________ of the day.

2 He spent much of his life ______________ with an unfair system.

3 Mandela spent 27 years of his life in ______________.

4 Your dog ______________s at people or even bites them.

5 Your dog ______________s to eat or play.

독해 탄탄 배경지식 넓히기

아파르트헤이트(Apartheid)

아파르트헤이트(Apartheid)는 남아프리카 공화국의 공식 언어인 아프리칸스어로 '분리, 격리'라는 뜻이며 과거 남아프리카 공화국의 백인 정권에 의해 만들어진 유색 인종 차별정책이다. 백인 지상주의에서 비롯된 이 정책으로 인해 1940년대부터 1990년 초반까지 유색인종들은 백인들과 분리된 열악한 지역의 환경에서 살아야 했다. 또한 이 정책은 다른 인종 간 혼인 관계를 금지했고 공공편의시설 이용을 금지했다. 인종별 분리투표 법안으로 인해서 유색인종은 정상적으로 투표도 할 수 없었다. 이러한 상황을 개선하고자 넬슨 만델라(1918~2013)는 아프리카 민족회의의 지도자로서 반아파르트헤이트 운동을 이끌고 유색인의 인권을 위해 싸웠다. 그 공로로 그는 노벨평화상을 수상하였고 대통령으로 당선되어 아파르트헤이트를 폐지하며 전 세계인의 존경을 받는 위인이 되었다.

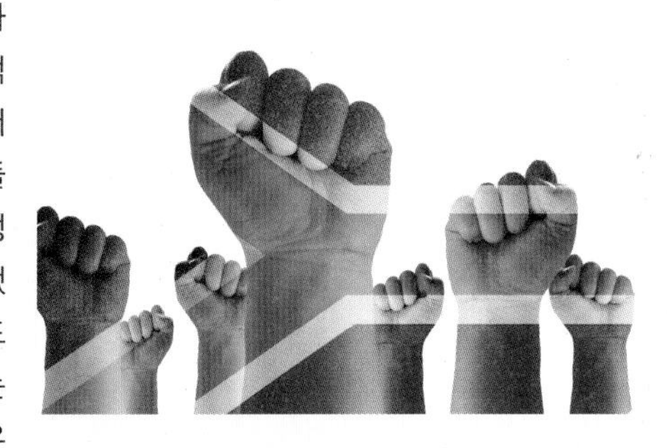

Guess What? 정답: A

01

Health

Do you always eat breakfast? You don't? Well, do you know that breakfast is the most important meal of the day? A good breakfast provides the nutrients that we need to start our day off right. Studies show that students who eat a good breakfast do better in school than those who do not. For example, students who eat a good breakfast tend to perform better and have a better attendance record. They also have decreased hyperactivity. _____________, students who don't eat breakfast are likely not to perform well, and also they tend to have behavior problems such as fighting and not listening to their teachers.

* start off: 시작하다
**hyperactivity: 과잉 행동, 극성

Answers p.19

1 윗글에서 알 수 없는 것 두 가지는? [세부 사항]

① 아침식사에 포함되어야 할 필수 영양소
② 아침식사와 수업 출석률의 관계
③ 아침식사가 학생의 성적에 미치는 영향
④ 아침식사를 거르는 학생들이 보이는 문제들
⑤ 아침식사를 하기 위한 최적의 시간

2 윗글의 빈칸에 들어갈 말로 가장 적절한 것은? [빈칸 추론]

① For example ② Yet ③ On the other hand
④ Above all ⑤ After all

3 윗글에서 아침식사가 우리에게 제공해 주는 것을 우리말로 쓰시오. [세부 사항]

직독직해

1 Do you know / that / breakfast / is / the most important meal / of the day?
→ ______________________________

2 Students / who eat a good breakfast / do better in school / than / those who do not.
→ ______________________________

3 They / tend to / have behavior problems / such as / fighting / and / not listening to their teachers.
→ ______________________________

People

When you think of the world's great leaders, one name that will come to mind is Nelson Mandela. Nelson Mandela was from South Africa. He spent much of his life fighting with an unfair system of government known as Apartheid. (A) In this system, the black people in his country were not treated fairly or they did not have the same right as white people. (B) Many people who fought against the system were killed or put in jail for many years. (C) Mandela spent 27 years of his life in prison, yet when he was finally released, he wasn't angry. (D) He believed that his country really needed a chance to heal. (E) He said that everyone should learn to forgive and love each other. Many people believe that he saved South Africa from tearing itself apart and falling into a civil war.

* Apartheid: 아파르트헤이트
** civil war: 내란

Answers p.19

1 윗글의 제목으로 가장 적절한 것은? 제목 찾기

① The Childhood of Nelson Mandela
② Nelson Mandela's Biggest Mistake
③ The President of South Africa
④ The Apartheid System of South Africa
⑤ Nelson Mandela, a Great Leader

2 글의 흐름으로 보아, 주어진 문장이 들어가기에 가장 적절한 곳은? 주어진 문장 넣기

Instead, he continued to pursue his goal of a free South Africa and finally became the president of his country.

① (A) ② (B) ③ (C) ④ (D) ⑤ (E)

3 윗글에서 아파르트헤이트(Apartheid)에 대해 맞는 것은? 세부 사항

① 남아프리카 공화국의 선거 제도
② 남아프리카 공화국의 인종 차별 제도
③ 남아프리카 공화국의 형벌 제도
④ 남아프리카 공화국의 교육 제도
⑤ 남아프리카 공화국의 복지 제도

직독직해

1 He / spent / much of his life / fighting / with an unfair system / of government / known as Apartheid.
→ ______________________________

2 He believed / that / his country really needed / a chance / to heal.
→ ______________________________

3 He saved / South Africa / from tearing itself apart / and / falling into a civil war.
→ ______________________________

03

Interesting Jobs

If you have a pet, you may face some difficult situations. ____(A)____, your dog refuses to eat or play. Or your dog snarls at people or even bites them. It makes you feel helpless because you never know what is on her mind. ____(B)____, there are people who say they can read animals' minds and communicate with them. Heidi Wright is an animal communicator and has worked with all kinds of animals around the world for many years. She helps animal owners understand their animals. We can see her ability to receive telepathic information from animals on TV, and their owners think her communication skills actually work. She says she would love to help people connect with their pets and make their lives happier.

*telepathic: 텔레파시의

Answers p.20

1 윗글에서 하이디 라이트(Heidi Wright)에 대한 내용으로 언급되지 않은 것은? 내용 불일치

① 동물의 생각을 읽을 수 있다.
② 모든 동물과 대화를 한다.
③ 여러 동물을 키우고 있다.
④ TV에 출연한 적이 있다.
⑤ 동물 보호자들은 그녀의 능력이 효과가 있다고 믿는다.

2 윗글의 빈칸 (A)와 (B)에 들어갈 말로 가장 적절한 것은? 빈칸 완성

	(A)		(B)
①	Also	……	Then
②	However	……	For example
③	Therefore	……	Then
④	At last	……	Therefore
⑤	For example	……	However

서술형

3 보기에 주어진 말을 이용하여 다음 요약문을 완성하시오. 요약문 완성하기

보기 communicate face ability mind

People with pets sometimes ______________ some situations difficult for them. It's hard because they don't really know what is on their pets' ______________. Luckily, there are animal communicators. They have the ______________ to read animals' minds and ______________ with them. They help people connect with their pets for happier lives.

직독직해

1 Your dog / snarls / at people / or / even bites / them.

→ ______________________________

2 Heidi Wright / has worked / with all kinds of animals / around the world / for many years.

→ ______________________________

3 She / helps / animal owners / understand / their animals.

→ ______________________________

Words Review

01

important	중요한	meal	식사	provide	제공하다
nutrient	영양분	tend to	~하는 경향이 있다	perform	수행하다
attendance	출석	decrease	줄이다	likely	~할 것 같은
behavior	행동				

02

come to mind	떠오르다	fight	싸우다	unfair	부당한
right	권리	jail	감옥	prison	감옥
release	풀어주다	continue	계속하다	pursue	추구하다
goal	목표	free	자유로운	chance	기회
heal	치유하다	forgive	용서하다	tear apart	분열되다
fall into	~로 빠지다	civil war	내전		

03

face	(상황과) 마주하다	situation	상황, 처지	refuse	거절하다
snarl	으르렁대다	even	심지어	bite	물다
helpless	감당 못하는	mind	마음, 생각	communicate	의사소통하다
telepathic	텔레파시를 이용한	information	정보	connect	연결하다

다음 설명에 해당하는 단어를 보기에서 찾아 쓰시오. 영영풀이

보기 helpless　nutrient　communicate　free　forgive

1 ____________ food that animals and plants need to live and grow
동물과 식물이 살고 자라는 데 필요한 음식

2 ____________ able to do what you want to do
당신이 원하는 것을 할 수 있는

3 ____________ to stop being angry with someone
누군가에게 분노하는 것을 멈추다

4 ____________ to share information by speaking, writing, or using other signals
말, 글 또는 다른 신호로 정보를 공유하다

5 ____________ unable to look after yourself
자기 자신을 돌볼 수 없는

THIS IS READING

Starter

Workbook

A 다음 주어진 영어는 우리말로, 우리말은 영어로 쓰시오.

1 disapproval	______________	11 문화	______________
2 gladiator	______________	12 고대의	______________
3 defeated	______________	13 운명	______________
4 travel	______________	14 전통적으로	______________
5 midday	______________	15 탈출하다	______________
6 common	______________	16 환경	______________
7 serious	______________	17 야기하다	______________
8 continue	______________	18 평균의	______________
9 prey	______________	19 재난	______________
10 affect	______________	20 비극적인	______________

B 다음 주어진 해석을 참고하여, 빈칸을 알맞게 채우시오.

1 We commonly express an ______________ or disapproval by using a thumbs up or thumbs down gesture. The origin of the thumbs up and thumbs down is not clearly known. However, many people believe that it came from ______________ fights in ancient Rome. We know from movies or books that the crowd used to decide the fate of a defeated fighter with their thumbs. In modern times, the thumbs up means approval and success. On the other hand, the thumbs down means the ______________. In addition, the thumbs up sign is another example for how the same gesture can have a very ______________ meaning in other cultures. The thumbs up in Middle Eastern countries like Iran and Iraq is an ______________ gesture.

우리는 보통 엄지손가락을 올리거나 내리는 동작으로 찬성이나 반대를 표현한다. 엄지손가락을 올리고 내리는 동작의 기원은 명백하게 밝혀지지 않았지만, 많은 사람들은 그것이 고대 로마의 검투사의 결투에서 비롯됐다고 믿는다. 우리는 영화와 책을 통해서 군중이 패배한 전사의 운명을 그들의 엄지손가락으로 결정하곤 했다는 것을 안다. 현대에는 엄지손가락을 올리는 동작은 승낙, 성공이라는 뜻을 나타내지만, 반면 엄지손가락을 내리는 동작은 그 반대를 의미한다. 게다가 엄지손가락을 올리는 동작은 같은 동작이 다른 문화에서는 어떻게 다른 의미를 가지고 있는지를 보여주는 한 예가 된다. 이란이나 이라크와 같은 중동 국가에서는 엄지손가락을 올리는 동작은 모욕적인 동작이다.

2 "Oh, no! This shop is closed." "Really? Why is this shop closed in the middle of the day?" You can see many shops that are closed in the mid-afternoon while you're traveling in Europe. Have you heard of a 'siesta?' A siesta is a big part of the ________________ in many Spanish-speaking countries. Siesta in Spanish means midday ________________. Traditionally, people in these countries eat a big meal around lunch time, and these countries have very hot weather. These two factors make them tired and ________________ after lunch. So it is natural for them to find a nice, cool, and shady place to escape from the heat and ________________ their body. Today, the siesta is less common, but many people still take a ________________ in the mid-afternoon in these countries.

"어머, 이런! 가게 문이 닫혔네." "정말? 대낮에 왜 가게 문을 닫지?" 당신은 유럽을 여행하면서 한낮에 많은 상점들이 문을 닫은 것을 볼 수 있다. '시에스타'에 대해 들어본 적이 있는가? 시에스타는 스페인어를 사용하는 많은 나라들의 문화에서 큰 비중을 차지한다. 스페인어로 시에스타는 한낮의 휴식이라는 말이다. 전통적으로, 이런 나라 사람들은 점심시간 즈음에 거한 만찬을 먹으며 이러한 나라들은 날씨가 매우 덥다. 이 두 가지 요인이 식사를 한 후 사람들을 피곤하게 하고 잠이 오게 만든다. 그래서 그들이 더위를 피하고 신체를 재충전하기 위해 쾌적하고 시원하며 그늘진 장소를 찾는 것은 당연하다. 오늘날, 시에스타는 덜 흔하지만, 이들 나라에 사는 많은 사람들은 아직도 대낮에 낮잠을 잔다.

3 ________________ is the most serious environment problem that the earth faces. Many people are well aware that it is getting much hotter in summer than before. It ________________ not only animals but also humans. If this phenomenon continues, a tragic disaster will occur. Let's talk about the effects on the animals first. Over the past 100 years, the average ________________ in the Arctic have gone up by almost 5 degrees Celsius. Global warming has caused a lot of the Arctic ice to ________________, which is the habitat of the polar bears and seals. As the ice is melting, the population of seals is decreasing. As a result, it will be more difficult for polar bears to find their favorite meal. At last, both seals and polar bears are in great danger of ________________. If we don't do anything about it, they might all be dead by the end of this century. How has global warming affected human beings?

지구온난화는 지구가 직면한 가장 심각한 환경 문제이다. 많은 사람이 여름 날씨가 전보다 점점 더 더워지고 있다는 것을 잘 알고 있다. 이것은 동물들에게 영향을 줄 뿐만 아니라 인간들에게도 영향을 미친다. 이런 현상이 계속되면 비극적인 재앙이 일어날 수 있다. 먼저 동물들에게 끼칠 수 있는 영향에 대해 이야기해 보자. 지난 100여 년 동안, 북극의 평균 기온은 거의 섭씨 5도 정도나 올라갔다. 지구온난화는 북극곰과 바다표범들의 서식지인 많은 북극의 빙하를 녹게 했다. 빙하가 녹음에 따라, 바다표범의 수가 감소하고 있다. 결과적으로, 북극곰은 그들이 가장 좋아하는 먹잇감을 찾기가 매우 어려워질 것이다. 마침내 바다표범과 북극곰은 멸종이라는 커다란 위험에 빠져 있다. 만약 우리가 그것에 대해 아무것도 하지 않는다면 그들은 이 세기 말경에는 모두 죽게 될지도 모른다. 지구온난화가 인간에게는 어떤 영향을 미쳤을까?

A 다음 주어진 영어는 우리말로, 우리말은 영어로 쓰시오.

1 education ____________________
2 palace ____________________
3 mythology ____________________
4 bullet ____________________
5 pain ____________________
6 reduce ____________________
7 shiny ____________________
8 stare ____________________
9 cane ____________________
10 light up ____________________
11 모범이 되는 사람 ____________________
12 조언하다 ____________________
13 경험이 있는 ____________________
14 수술 ____________________
15 환자 ____________________
16 문자 그대로 ____________________
17 다가가다 ____________________
18 반대 방향의 ____________________
19 옆으로 ____________________
20 누르다 ____________________

B 다음 주어진 해석을 참고하여, 빈칸을 알맞게 채우시오.

1 What exactly does it mean to be a "____________?" Where does the word come from? Well, the word "mentor" ____________ in Greek Mythology. Mentor was the name of a person, who was friends with Odysseus, King of Ithaca. When Odysseus left to go fight in the Trojan War, he left Mentor ____________ his son, Telemachus, and his palace. In other words, he ____________ him with his home and his son's education. Mentor became a good teacher, role model, and trusted adviser to Telemachus. Today, people use the word "mentor" to describe an ____________ person who advises or helps a mentee with less experience.

'멘토'가 된다는 것은 정확히 무슨 뜻인가? 그 단어는 어디에서 생겨난 말인가? 자, '멘토'라는 단어는 그리스 신화에서 생긴 말이다. 멘토는 이다카의 왕, 오디세우스와 친구로 지냈던 인물의 이름이었다. 오디세우스는 트로이 전쟁에 싸우러 나가면서 멘토에게 자신의 아들, 텔레마코스와 자신의 왕궁을 맡겼다. 다시 말해서, 그는 자신의 집과 아들의 교육을 그에게 맡긴 것이었다. 멘토는 텔레마코스에게 좋은 스승이자 본보기, 믿을 수 있는 조언자가 되었다. 오늘날 사람들은 경험이 적은 멘티에게 조언을 해주고 도움을 주는 경험 많은 사람을 묘사하는 데 '멘토'라는 단어를 쓴다.

Answers p.22

2 How does it sound to you, '________________ the bullet'? I don't think that biting a bullet would be a very fun or interesting thing to do. Patients had to put up with much pain during the ________________ in the old days because there was no way to reduce pain. Doctors needed something to make patients feel nothing under ________________ surgery. So, during a war long time ago, doctors would ask the ________________ soldiers to literally bite a bullet to help them endure the pain. It was still pretty painful, that's for sure! But at least biting the bullet could take away some of the pain. Today, when someone has to ________________ pain, or is in any difficult situation, we say that he or she has to 'bite the bullet.'

'총알을 물다'라는 것이 당신한테는 어떻게 들리는가? 나는 총알을 무는 것이 그리 재미있거나 즐거운 일은 아닐 거라고 생각한다. 환자들은 옛날에는 고통을 줄이는 방법이 없었기 때문에 수술을 하는 동안 많은 통증을 참아야만 했다. 의사들은 고통스런 수술을 하는 동안 환자들이 아무것도 느끼지 못하도록 하게 하는 무언가가 필요했다. 그래서 오래 전 전쟁 중에, 의사들은 부상당한 군인들에게 고통을 참게 하려고 말 그대로 총알을 물고 있으라고 요청했다. 그래도 그것은 당연히 너무나 고통스러웠다. 하지만, 적어도 총알을 물고 있는 것이 통증을 어느 정도는 없애주는 데 도움을 주었다. 오늘날, 누군가가 고통을 참아야 하거나 어떤 어려운 상황에 처해 있을 때는 그 사람이 '총알을 물어야 한다'고 말한다.

3 One day, a young boy and his father came to the city from a small country village. It was their first visit to the city, and they saw something new. They were surprised when they saw the two ________________ walls meeting in the middle and ________________ sideways. They didn't understand what they were, or what they did. They just stood there ________________ at them. While they were watching them, a little old lady came walking up with a cane. She approached the moving walls and ________________ the button. All of a sudden, the walls opened up and the old lady went inside! The boy and his father watched as the numbered lights above the walls ________________ up, stopped, and then started to light up again, this time in ________________ order. They kept watching the numbers and the walls. Suddenly, the walls opened up again and a beautiful young woman walked out from inside them. The father got really excited and told his son, "Quick! Go get your mother, now!"

어느 날, 한 소년과 아버지가 작은 시골마을에서 도시로 오게 되었다. 그것은 그들의 도시로의 첫 방문이었고, 그들은 새로운 것을 보게 되었다. 그들은 두 개의 빛나는 벽이 중간에서 만나서 옆으로 미끄러지는 것을 보고 놀랐다. 그들은 그것이 무엇인지, 그것이 무엇을 하는 건지 알 수 없었다. 그들은 그냥 그것을 바라보며 그곳에 서 있을 뿐이었다. 그들이 바라보고 있는 동안 작은 노부인이 지팡이를 짚고 걸어왔다. 그녀는 그 움직이는 벽 쪽으로 다가가더니 버튼을 눌렀다. 갑자기, 벽이 열리면서 노부인이 안으로 들어가는 것이었다! 소년과 아버지는 벽 위에 있는 숫자가 적힌 불이 켜지고, 멈추었다가, 이번에는 다시 반대방향으로 불이 켜지는 것을 지켜보았다. 그들은 숫자와 벽을 계속 쳐다보고 있었다. 갑자기 벽이 다시 열리면서 한 아름다운 젊은 여자가 그 안에서 걸어 나왔다. 아버지는 매우 신이 나서 아들에게 말했다. "서둘러! 가서 엄마를 모셔 오너라, 당장!"

A 다음 주어진 영어는 우리말로, 우리말은 영어로 쓰시오.

1	vehicle	______	11	가파른	______
2	curve	______	12	내리막길로	______
3	hill	______	13	~ 앞에	______
4	pedestrian	______	14	퍼지다, 퍼뜨리다	______
5	praise	______	15	발생하다	______
6	compliment	______	16	머지않아	______
7	effect	______	17	소작농	______
8	similar	______	18	정확히	______
9	fair-skinned	______	19	점령하다	______
10	compared to	______	20	이론	______

B 다음 주어진 해석을 참고하여, 빈칸을 알맞게 채우시오.

1 Do you know what the longest or widest street in the world is? Then, how about the most ________ street? Lombard Street in San Francisco, California is famous for a one-block section, which has eight sharp ________. The crooked part of this street was first designed to reduce the hill's ________ grade, since many vehicles and pedestrians had trouble getting up and down the hill. Now, it is a ________ street going downhill, and the speed limit is only 8km/h. It is also now one of the most famous ________ in San Francisco. Visitors love to walk or ride down the street and take a photograph in front of it.

당신은 세계에서 가장 길거나 가장 넓은 길이 어디인지 알고 있는가? 그렇다면, 가장 구불구불한 길은 어떠한가? 캘리포니아의 샌프란시스코에 있는 롬바드 가는 커브가 여덟 개인 한 블록짜리 길로 유명하다. 이 길의 구불구불한 부분은 처음에 언덕의 급격한 경사를 줄이기 위해 고안되었는데, 많은 차량과 보행자들이 언덕을 오르내리는 데 어려움을 겪었기 때문이다. 현재 이 길은 아랫방향으로만 가는 일방통행이고 속도 제한은 겨우 시속 8킬로이다. 이 길은 샌프란시스코에서 가장 유명한 명소 중 하나이기도 하다. 관광객들은 이 길을 따라 걷거나 차를 타고 내려가고, 길 앞에서 사진을 찍는 것을 좋아한다.

2 Sometimes even a small word can have a big __________ on a person. How do you feel when you hear someone tell you, "You did a good job?" We sometimes think that __________ are simple to give and don't mean all that much. But they really mean a lot. Always remember this! Every time someone does a good thing, try to give him or her some praise. When you give praise, you will know that it can make you happy as well as those __________ the praise. "What goes around comes around," means that if you spread good feelings to others, they will __________ to you sooner or later. Do you want something good to come back to you? You have the power to make it __________.

때로는 그저 작은 한 마디가 어떤 사람에게 큰 영향을 줄 수 있다. 누군가가 당신에게 "참 잘했어!"라고 얘기하는 것을 들었을 때 어떤 기분이 드는가? 우리는 때때로 칭찬하기가 간단하고 그렇게 많은 것을 의미하지는 않는다고 생각한다. 하지만, 그것들은 실제로 많은 것을 의미한다. 항상 이것을 기억하라! 누군가가 착한 일을 할 때마다 그에게나 그녀에게 칭찬하려고 노력해라. 당신이 칭찬할 때 그것이 칭찬을 받는 사람뿐만 아니라 당신의 기분도 좋게 해준다는 것을 알게 될 것이다. '자업자득'이라는 것은 당신이 다른 사람에게 좋은 감정을 퍼뜨린다면 그것들이 당신에게 머지않아 돌아올 것이라는 것을 의미한다. 당신에게 뭔가 좋은 것이 되돌아오기를 원하는가? 당신은 그것을 발생하게 하는 힘을 가지고 있다.

3 The most famous type of traditional dancing in Spain is called 'Flamenco' dancing. Do you know where this word comes from? Actually, nobody seems to know exactly; there are many different __________ about it. One simple theory is that this style of dancing looks similar to the way a __________ moves. Another theory is that the name of flamenco comes from Flemings. Flemings were the people from Flanders, Belgium, __________ by Spain once. They were __________ and fair-skinned compared to Spanish people. Because the color of the flamingo's under wings is a ruddy pink, Flemings were called flamenco, too. The final theory that many people believe is that 'flamenco' comes from the Arabic 'fellah mengu.' Fellah mengu means '__________ without land.' No matter which theory you believe, it is a truly amazing and beautiful style of dancing for us to try. Do you want to learn Flamenco dancing? Why not?

스페인에서 가장 유명한 전통 춤은 '플라멩코' 춤이라고 한다. 이 단어가 어디에서 유래하였는지 아는가? 실제로, 어느 누구도 정확히 아는 것 같진 않다. 그것에 대해 많은 다른 이론들이 있다. 하나의 간단한 설은 이러한 스타일의 춤이 홍학이 움직이는 것과 비슷하다는 것이다. 또 다른 설은 플라멩코라는 이름이 '플랑드르 사람'에서 비롯되었다는 것이다. 플랑드르 사람들은 한 때 스페인의 점령을 받았던 벨기에, 플랑드르 출신의 사람들이다. 그들은 스페인 사람들에 비해 불그스름하고 하얀 피부를 가졌었다. 홍학의 날개 안쪽의 색깔이 불그스름한 분홍색이기 때문에 플랑드르 사람들은 또한 플라멩코라고 불렸다. 많은 사람들이 믿는 마지막 설은 아랍어 '펠라 멩구'에서 유래했다는 것이다. '펠라 멩구'는 '땅이 없는 소작농'를 의미한다. 당신이 어떤 설을 믿든지, 플라멩코는 우리가 시도해볼 만한 정말로 놀랍고 아름다운 춤 스타일이다. 플라멩코 춤을 배우고 싶은가? 해보는 게 어떤가?

A 다음 주어진 영어는 우리말로, 우리말은 영어로 쓰시오.

1 combination	______________	11 몇 개의	______________
2 expert	______________	12 중요하게	______________
3 well-balanced	______________	13 유제품의	______________
4 golden	______________	14 찌르다	______________
5 beauty	______________	15 극복하다	______________
6 hiccup	______________	16 질투하는	______________
7 naturally	______________	17 경험하다	______________
8 stimulate	______________	18 치료법	______________
9 effective	______________	19 수축하다	______________
10 nerve	______________	20 갑자기	______________

B 다음 주어진 해석을 참고하여, 빈칸을 알맞게 채우시오.

1 What is your favorite food? Do you like meat? Or do you like fish? Vegetables? Pizza? What is the best food for our bodies? Well, it's actually a ______________ of many things! In other words, if we eat several foods together, it's better for us. That's right. Doctors and other experts say, "A well-balanced ______________ is the best thing for you." Every day you should eat some things from different '______________' of food. What do we mean by different 'groups' of food? For example, you should eat some meat and ______________ every day. And you should also eat some fruit, and some ______________ such as milk or yogurt. Always remember this; eating healthy means staying healthy! What you eat makes you what you are!

당신이 가장 좋아하는 음식은 무엇인가? 고기를 좋아하는가? 아니면 생선을 좋아하는가? 채소? 피자? 우리 몸에 가장 좋은 음식은 무엇인가? 글쎄, 그것은 실제로 많은 것들의 결합이다! 다시 말해서, 여러 가지 음식을 함께 먹는다면, 우리에게 더욱 좋은 것이다. 그렇다. 의사들과 기타 전문가들은 "균형 잡힌 식단의 음식이 당신에게 가장 좋은 것이다."라고 말한다. 당신은 매일 다른 '군'의 음식을 먹어야 한다. 다른 '군'의 음식이라는 것이 무슨 의미인가? 예를 들어, 당신은 매일 고기와 야채를 먹어야 한다. 그리고 과일과 우유나 요구르트와 같은 유제품도 먹어야 한다. 항상 이것을 명심해라. 건강에 좋은 음식을 먹는 것이 건강을 유지하는 것이다. 당신이 먹는 것이 바로 당신의 몸이 된다.

Answers p.22

2 Cupid, the god of love, spreads love and hate with his two arrows. If Cupid shoots someone with his __________________ arrow, he or she will be in love with a person next to him or her. On the other hand, if he shoots someone with his __________________ arrow, he or she will feel great hate for the next person. There are many stories about Cupid's arrows. The most famous one is his own story. While he was trying to __________________ Psyche by order of his mother, Venus, he pricked himself with his love arrow __________________ and fell in love with Psyche. Unfortunately, love between them was not allowed because Psyche was just a human, and Venus was so jealous of Psyche's beauty. But they __________________ all the difficulties, and the gods realized how strong their love was. The gods decided to make her a __________________. For this reason, a heart __________________ by Cupid's arrow has become the most popular symbol of love.

사랑의 신, 큐피드는 사랑과 미움을 그의 두 화살로 퍼뜨린다. 큐피드가 누군가에게 그의 금으로 된 화살을 쏘면, 그 사람은 옆에 있는 사람과 사랑에 빠지게 된다. 반면에, 그가 납으로 된 화살을 누군가에게 쏘면 그 사람은 옆에 있는 사람에게 증오심을 느끼게 된다. 큐피드 화살에 대한 많은 이야기가 있다. 가장 유명한 것이 그 자신의 이야기이다. 그가 그의 어머니인 비너스의 명령으로 프시케에게 벌을 주려고 하는데 실수로 사랑의 화살에 찔리게 되어 프시케와 사랑에 빠지게 됐다. 불행하게도, 프시케는 인간이었고 비너스가 그녀의 아름다움을 질투했기 때문에 그와 프시케의 사랑은 허락되지 않았다. 그러나 그들은 모든 어려움을 극복했고, 신들은 그들의 사랑이 얼마나 강한지 알게 되었다. 신들은 그녀를 여신으로 만들기로 결정했다. 이런 이유로 큐피드의 화살이 꽂힌 심장이 가장 인기 있는 사랑의 상징이 되었다.

3 We all have experienced __________________ at least once in our lifetime. Hiccupping has something to do with the diaphragm, which helps us to __________________. Hiccups happen when the diaphragm suddenly __________________. Sometimes the hiccups stop naturally, but at other times they never seem to end. Here are some ways to stop them. The easiest and simplest way is to drink water slowly. Another way is to __________________ your breath as long as you can like when you're ready to jump into a pool. __________________ on a sugar cube or a slice of lemon is also effective to end them. And asking someone to surprise you also helps the hiccups to go away. But, how do these __________________ work? They are effective because they stimulate a special __________________ controlling the diaphragm, and the nerve will make the hiccups stop. There are other ways to stop hiccups, too, but you need to find out which one works best for you.

우리 모두는 일생에서 적어도 한번은 딸꾹질을 경험한 적이 있다. 딸꾹질은 횡경막과 관련이 있는데, 이것은 우리가 숨을 쉬게 도와준다. 딸꾹질은 횡경막이 갑자기 수축하면서 발생한다. 어떤 때는 딸꾹질이 자연스럽게 멈추기도 하지만, 또 어떤 경우에는 절대로 멈추지 않을 것 같은 때도 있다. 여기 딸꾹질을 멈추게 하는 방법 몇 가지가 있다. 가장 쉽고 간단한 방법은 물을 천천히 마시는 것이다. 또 다른 방법은 할 수 있는 마치 수영장에 뛰어들 준비를 할 때처럼 숨을 가능한 오래 참는 것이다. 각설탕이나 레몬 한 조각을 빨아먹는 것도 딸꾹질을 멈추게 하는 데 효과적이다. 그리고 누군가에게 놀라게 해 달라고 부탁하는 것 또한 딸꾹질을 달아날 수 있게 하는 방법이다. 그러나, 이런 민간요법이 어떻게 효과가 있는가? 그것들은 효과적이다. 왜냐하면, 그것들은 횡경막을 조정하는 특정한 신경을 자극하고 그 신경이 딸국질을 멈추게 하기 때문이다. 딸꾹질을 멈추게 하는 다른 방법들도 있지만, 당신에게 가장 효과가 있는 것이 무엇인지 알아내야 한다.

A 다음 주어진 영어는 우리말로, 우리말은 영어로 쓰시오.

1 closed-minded ________________
2 graduation ________________
3 in other words ________________
4 worth ________________
5 shave ________________
6 bring ________________
7 swallow ________________
8 conversation ________________
9 common ________________
10 imaginative ________________
11 받아들이다 ________________
12 명심하다 ________________
13 기꺼이 ~하는 ________________
14 이발소 ________________
15 완벽한, 딱 맞는 ________________
16 대답하다 ________________
17 깨닫다 ________________
18 특이한, 이상한 ________________
19 양성의 ________________
20 지표, 신호 ________________

B 다음 주어진 해석을 참고하여, 빈칸을 알맞게 채우시오.

1 How can you be a happier person? There is no perfect answer, of course, but here are a few good ________________ for you. First of all, be open to new ideas. In other words, be ________________, not closed-minded, and try to accept something new, or at least give it a chance. Also, never stop learning. Keep in mind that being a student is a lifetime job; ________________ isn't an end but a beginning! Always be willing to work hard, and learn new things. If something helps you live a better and happier life, then it is worth working for. Finally, try to live a ________________ life. Working hard is important, but you should also leave ________________ time for fun, family, and friends.

당신은 어떻게 행복한 사람이 될 수 있을까? 이 질문에 완벽한 답은 물론 없다. 하지만, 여기 당신을 위한 몇 가지 좋은 제안들이 있다. 무엇보다도, 새로운 사고에 마음의 문을 열어라. 다시 말하자면, 마음을 닫지 말고 열린 마음으로 새로운 것을 받아들이거나 적어도 시도는 해보라는 것이다. 또한, 배우는 것을 절대 멈추지 마라. 학생의 자세로 있는 것은 평생 해야 하는 과업이라는 것을 명심하라. 졸업은 끝이 아니라 시작이다! 항상 열심히 일하려고 하고 새로운 것을 배워라. 만약 무언가가 당신이 더 좋고 행복한 삶을 살 수 있도록 돕는다면 그것은 노력해 볼 가치가 있다. 마지막으로 균형 잡힌 생활을 하도록 노력해라. 열심히 일하는 것도 중요하지만, 즐거움, 가족, 친구들을 위한 시간도 충분히 남겨 두어야 한다.

Answers p.23

2 A man went to a ________________ to get a shave. He told the barber, "I can't get a close ________________ at home." And he also asked the barber, "How can I get a really close shave?" The barber thought about it for a moment, then he said, "I have the perfect thing to help you out." He went to a drawer and pulled out a small ________________ ball. "Put this inside your mouth," he said, "in between your cheek and teeth." The man did this, and the barber ________________ to shave him. As the barber was shaving him, the man realized that the barber was shaving him really closely. The man got excited and said, "This is great! But what happens if I ________________ it?" "No problem," replied the barber, "Just bring it back tomorrow. That's what everyone else does."

한 남자가 면도를 하러 이발소에 들어갔다. 그는 이발사에게, "집에서는 도통 짧게 면도를 못하겠더라고요."라고 말했다. 그러면서 또 이발사에게 물었다. "어떻게 하면 짧게 면도를 할 수 있을까요?" 이발사는 잠시 생각하더니 말했다. "도움이 될 완벽한 방법이 있습니다." 그는 서랍으로 가더니 자그마한 나무로 만든 공을 꺼냈다. "이것을 입 안에 넣으세요."라고 말했다. "볼과 이 사이에요." 남자는 그렇게 했고, 이발사는 계속 면도를 했다. 이발사가 면도하고 있을 때 남자는 이발사가 정말 짧게 면도를 하고 있는 것을 알아차렸다. 남자는 흥분하며 말했다. "대단하네요! 그런데 만약 제가 이것을 삼키면 어떡하죠?" "전혀 문제 없습니다." 이발사가 대답했다. "그냥 내일 가지고 오시면 되죠. 다른 분들도 다 그렇게 하신답니다."

3 "You're so shy, and you're quite ________________. Your blood type is A, isn't it?" "You're pretty weird and imaginative. I'm sure your ________________ is AB. Am I right?" Have you heard a conversation like that? In Korea, people pay ________________ to blood types. They believe that a person's blood type can be an indicator of what his or her ________________ is like. So what are the most common blood types in Korea and all over the world? In Korea, the most common blood type is A positive. O positive and B positive come after that, with AB positive in fourth. Interestingly, Korea has a much higher percentage of AB positive people than any other country. Korea also has very few people with ________________ blood types; along with Hong Kong, it shares the lowest percentage of negative blood types in the world.

"넌 참 수줍음이 많고 내성적이다. 너 혈액형이 A지, 그렇지?" "넌 참 특이하고 상상력이 풍부하다. 분명히 네 혈액형은 AB일 거야. 내 말이 맞지?" 이런 대화를 들어본 적이 있는가? 한국에서는 사람들이 혈액형에 많은 관심을 둔다. 그들은 사람의 혈액형이 그 사람의 성격이 어떨지를 알려주는 지표가 될 수 있다고 믿는다. 그럼 한국과 전 세계에서 가장 많은 혈액형은 무엇일까? 한국에서 가장 흔한 혈액형은 A플러스(양성)이다. 그 다음으로 O플러스, B플러스이고, AB플러스는 네 번째이다. 흥미로운 것은 한국에서는 다른 나라보다 AB플러스의 비율이 훨씬 더 높다는 것이다. 또한, 한국에는 마이너스(음성) 혈액형을 가진 사람이 거의 없다. 홍콩과 함께 세계에서 가장 낮은 마이너스 혈액형의 비율을 가지고 있다.

A 다음 주어진 영어는 우리말로, 우리말은 영어로 쓰시오.

1	burn off	____________	11	몸무게를 줄이다	____________
2	extra	____________	12	칼로리, 열량	____________
3	exercise	____________	13	전문가	____________
4	benefit	____________	14	평화로운	____________
5	achieve	____________	15	정의	____________
6	rally	____________	16	사회 운동	____________
7	relation	____________	17	항의	____________
8	difference	____________	18	결정하다	____________
9	rule	____________	19	우연히	____________
10	by accident	____________	20	~에 반대되는	____________

B 다음 주어진 해석을 참고하여, 빈칸을 알맞게 채우시오.

1 Do you think you're fat? Do you want to lose ____________? If you want to lose weight, remember this. One way of losing weight is to eat less and ____________. And the other one is to burn off the extra ____________ that you eat. How? You should exercise. The best kind of exercise for losing weight is ____________ exercise, for example, walking, jogging, and riding a bicycle. Most experts recommend that you do some sort of aerobic exercise for at least 45 minutes a day, 6 days a week. It should be ____________ exercise if you want to get the best benefits from it! Enjoy walking or running, and you'll be thinner and healthier.

당신은 자신이 뚱뚱하다고 생각하는가? 체중을 줄이고 싶은가? 체중을 줄이고 싶다면, 이것을 기억하라. 몸무게를 줄이는 방법은 식사량을 줄이고 더 건강하게 먹는 것이다. 그리고 다른 방법은 당신이 먹는 여분의 열량을 소모하는 것이다. 어떻게 말인가? 당신은 운동을 해야 한다. 체중을 줄일 수 있는 최고의 운동은 유산소 운동인데, 예를 들어 걷기, 달리기, 혹은 자전거 타기가 있다. 대부분 전문가들은 어떠한 유산소 운동이든 적어도 45분간, 일주일에 6일 할 것을 권한다. 그것으로부터 최고의 효과를 보기 위해서는 연속적인 운동이 되어야 한다! 걷기나 달리기를 즐겨라. 그러면, 당신은 더 날씬해지고 건강해질 것이다.

2 One of the most well-known Americans of the twentieth century was Martin Luther King Junior. He was the most famous leader of the American Civil Rights Movement, and it was largely due to his hard work that made the ________________ successful. His most famous speech is known as the "I Have a Dream" speech; he gave it in 1963 in Washington D.C. In his speech, he spoke about what was wrong with ________________ relations in America, and he also said it could only be fixed through ________________ talking, not violence. He strongly believed that violence is never the way to achieve justice. He also talked about his dream for the future of a society that would judge people by their hearts and ________________, rather than the color of their skin. Sadly, his life ended before he turned 40. He was killed in 1968 on his hotel balcony when he was on his way to a protest rally. Today, he is remembered as an American ________________, and there is a national holiday in his honor every January.

20세기에 가장 잘 알려진 미국인 중 한 명은 마틴 루터 킹 주니어이다. 그는 가장 유명한 미국 시민 인권 운동의 지도자였는데, 그것은 주로 운동을 성공적으로 만든 그의 노고 덕분이었다. 그의 가장 유명한 연설은 "나에게는 꿈이 있습니다"로 알려졌고 그는 워싱턴 D.C.에서 1963년에 그 연설을 했다. 그 연설에서 그는 미국에서 인종 관계에 있어서 무엇이 잘못되었는지에 대해서 말했고, 폭력이 아니라 평화적인 대화를 통해서만 바로잡을 수 있다고 말했다. 그는 폭력은 절대로 정의를 달성할 수 있는 수단이 될 수 없다고 강하게 믿었다. 그는 또한 사람을 피부색이 아니라 마음과 정신으로 평가하는 그런 미래의 사회에 대한 자신의 꿈에 대해서 이야기했다. 슬프게도, 그는 나이 40이 되기 전에 그의 생을 마감했다. 그는 1968년 시위 집회로 가던 길에 호텔 난간에서 죽임을 당했다. 오늘날, 그는 미국의 영웅으로 기억되고 있고, 1월마다 그를 기리는 국경일이 있다.

3 Do you know the ________________ between rugby and American football? Rugby is very ________________ to American football, and, in fact, American football actually comes from rugby. Rugby was ________________ by accident in the town called Rugby, England in 1823. A young school boy named William Webb-Ellis was playing soccer with the other boys at school called Rugby School. During the game, he ________________ the soccer ball in his hands and began to run with it. That is clearly ________________ the rules of soccer. His teacher, however, watched it with interest and decided to create a new sport ________________ it. That sport came to be called rugby, named after the school and town where it was first played. Today, every four years there is a Rugby World Cup, much like the World Cup in soccer. The winner's trophy is called the William Webb-Ellis trophy, in honor of the young school boy that accidentally invented the popular game.

당신은 럭비와 미식축구의 차이를 알고 있는가? 럭비는 미식축구와 굉장히 유사한데 실제로 미식축구는 럭비에서 유래한 것이다. 럭비는 1823년 영국의 럭비라는 한 마을에서 우연히 발명되었다. 윌리엄 웹 엘리스라는 한 어린 남학생이 럭비 학교라고 불리는 학교에서 다른 소년들과 축구를 하고 있었다. 소년은 경기 도중, 손으로 축구공을 잡고 달리기 시작했다. 그것은 축구의 규칙에 명백히 위반되는 것이다. 그러나 그의 선생님은 그가 하는 것을 관심을 갖고 보았고 그것을 바탕으로 새로운 운동 경기를 만들기로 했다. 그 운동은 경기를 처음 하게 된 학교와 마을의 이름을 따서 럭비라고 불리게 되었다. 오늘날 럭비 월드컵이 축구의 월드컵과 매우 비슷하게 4년 마다 열린다. 우승팀의 트로피는 이 인기 있는 운동 경기를 우연히 만든 그 어린 남학생을 기리고자 윌리엄 웹 엘리스 트로피라고 불린다.

A 다음 주어진 영어는 우리말로, 우리말은 영어로 쓰시오.

1 description ______________________

2 representation ______________________

3 canvas ______________________

4 viewer ______________________

5 essential ______________________

6 control ______________________

7 debate ______________________

8 biological ______________________

9 creature ______________________

10 primitive ______________________

11 위로하다 ______________________

12 흐릿한 ______________________

13 헷갈리게 만드는 ______________________

14 정신적인 ______________________

15 피, 혈액 ______________________

16 물질 ______________________

17 모공, 구멍 ______________________

18 종교의 ______________________

19 신성한 ______________________

20 믿음, 신념 ______________________

B 다음 주어진 해석을 참고하여, 빈칸을 알맞게 채우시오.

1 Two men are ________________ him. His hands are covering his ears and his mouth is wide open. He looks like he is hearing or seeing something ________________. The sky is glowing red and everything else looks blurry and confusing. This is a description of *The Scream*. *The Scream* is the best-known painting of Edvard Munch. It is a good representation of Munch's style of painting. It is not just paint on canvas, but his own ________________. Some people don't like his "dark" style of painting because it makes viewers ________________. On the other hand, others believe that it can comfort people experiencing ________________ illness.

두 남자가 그를 지나치고 있다. 그의 손이 귀를 막고 있으며 그의 입은 크게 벌어져 있다. 그는 무언가 끔찍한 것을 듣고 있거나 보는 것처럼 보인다. 하늘은 붉게 물들어 있고 그 밖의 모든 것들은 희미하고 혼란스럽게 보인다. 이것이 바로 〈절규〉의 묘사이다. 〈절규〉는 에드바르트 뭉크(Edvard Munch)의 가장 잘 알려진 그림이다. 그것은 뭉크의 그림기법을 잘 표현하고 있다. 그것은 캔버스에 그린 단순한 그림이 아닌 그 자신의 고백이기도 하다. 보는 사람을 우울하게 만든다는 이유로 어떤 이들은 그의 '어두운' 화법을 좋아하지 않는다. 반면 다른 사람들은 그것이 정신적 고통을 경험하는 사람들을 위안할 수 있다고 믿는다.

2 How much water do you drink a day? One liter? Two liters? We know that water helps our body to be clean and healthy. And many ________________ experts say that drinking a lot of water is helpful for our skin. That's because of the nature of water. Water makes the ________________ of blood fluids become active. Water is the ________________ substance for our body. It makes up 70~75% of our body weight. Water helps keep body temperature, deliver nutrients all over our body, and get rid of ________________ from our body. It also controls the skin's natural balance. When we drink warm water, our skin gets softer, brighter, and cleaner. Warm water also ________________ blackheads and makes large pores smaller. If our body lacks water, our body will pull it from our blood. Then this can make our blood ________________. And finally we can have high cholesterol, heart disease or headaches. If we really want to be more beautiful and healthy, why don't we fall in love with drinking water?

당신은 하루에 얼마나 많은 물을 마시는가? 1리터? 2리터? 우리는 물이 우리 몸을 깨끗하고 건강하게 해준다는 것을 알고 있다. 그리고 많은 피부관리 전문가들은 많은 물을 마시는 것이 우리의 피부에 도움이 된다고 말한다. 그건 물의 성질 때문이다. 물은 혈액 순환을 활동적이게 만든다. 물은 우리 몸에 필수적인 물질이다. 그것은 우리 체중의 70~75%를 차지한다. 물은 체온을 유지시켜 주고, 영양분을 온몸으로 전달해 주며, 우리의 몸에서 독소를 제거해 준다. 또한, 피부의 자연적인 균형을 통제하기도 한다. 따뜻한 물을 마시면 피부가 더 부드럽고, 밝고, 깨끗해진다. 따뜻한 물은 또한 블랙헤드를 없애주고, 넓은 모공을 더 작게 만들어 준다. 만약 몸에 수분이 부족해지면, 우리의 몸은 혈액에서 그것을 빼앗아온다. 그러면, 혈액이 탁해질 수 있다. 그리고 결국 콜레스테롤 수치가 높아지며 심장병이나 두통을 겪을 수도 있다. 더 아름답고 건강해지고 싶다면, 물 마시기와 사랑에 빠져 보는 건 어떨까?

3 From time to time, everyone wonders where humans came from. As for the question, there has always been the ________________ and ________________ debate. Creation is a religious belief that the divine Creator made the world and its living creatures. ________________ creation, evolution is a biological theory that all life has developed from ________________ forms of life, including human beings. While creation is based on the Bible, Charles Darwin supported his idea of evolution with ________________ like fossils or different kinds of living things. However, both of them have remained ________________. Creationists believe in creation, not because of scientific evidence but because of their faith. And evolutionists don't have supporting evidence to explain the process of how the ________________ life evolved into advanced life. Therefore, whatever people say about the origin of human beings, follow your faith.

가끔 누구나 인간이 어디에서 왔는지 궁금해한다. 그 질문에 대해서는 항상 창조론과 진화론의 논쟁이 있어왔다. 창조론은 신성한 창조주가 이 세계와 생명체들을 만들었다는 종교적인 믿음이다. 창조론과는 달리 진화론은 인간을 포함한 모든 생명은 이전의 생명체로부터 발전해왔다는 생물학적인 이론이다. 창조론이 성경에 기초를 두는 반면에 찰스 다윈은 화석이나 여러 종류의 생명체와 같은 증거들로 자신의 진화론을 뒷받침했다. 하지만, 이 둘 다 아직 증명되지 않은 상태이다. 창조론자들은 과학적인 증거 때문이 아니라, 그들의 믿음 때문에 창조론을 믿는다. 그리고 진화론자들은 원시적인 생명체가 어떻게 보다 고등 단계의 생명체로 진화했는지에 대한 과정을 설명할 수 있는 타당한 증거를 가지고 있지 않다. 그러므로 사람들이 인류의 근원에 대해 무엇을 말하든지, 당신의 신념을 따르라.

A 다음 주어진 영어는 우리말로, 우리말은 영어로 쓰시오.

1	represent	____________	11	축하, 기념	____________
2	compare	____________	12	형형색색의	____________
3	reborn	____________	13	꾸미다	____________
4	unlucky	____________	14	풍요	____________
5	scientific	____________	15	악마	____________
6	witch	____________	16	미신	____________
7	electronic	____________	17	번역가	____________
8	manual	____________	18	평범하지 않은, 특이한	____________
9	magazine	____________	19	전문적인	____________
10	writer	____________	20	정치인	____________

B 다음 주어진 해석을 참고하여, 빈칸을 알맞게 채우시오.

1 An egg has always represented spring, fertility, and ____________ since the old days. Because the egg looks hard and dead on the outside, but has a new life inside, people often compare it to springtime when the long and harsh winter is over and all the creatures are ____________. For this reason, Christians connected the egg with the resurrection of Jesus and attached it to the ____________ celebration. The Easter egg custom dates back to the 4th century A.D. Even now the colorfully decorated eggs or egg-shaped chocolates are given as ____________ or hidden for children to find on Easter Day.

달걀은 예로부터 봄, 다산, 풍부함을 상징해 왔다. 달걀이 겉보기에는 딱딱하고 죽은 것 같이 보이지만, 그 안에는 새로운 생명을 품고 있기에 사람들은 그것을 길고 혹독한 겨울이 끝나고 모든 생물이 다시 태어나는 봄에 종종 비유한다. 이러한 이유로 기독교인들은 달걀을 예수의 부활과 연관 지었고 부활절을 기념하는 것과 연결시켰다. 달걀에 관련된 부활절의 관습은 서기 4세기로 거슬러 올라간다. 지금까지도 부활절이면 형형색색으로 장식된 달걀이나 달걀 모양의 초콜릿이 선물로 주어지거나 아이들이 찾도록 숨겨진다.

2 "Oh, no! A black cat crossed in front of me!" "What's the big deal?" "Don't you know that? When a black cat crosses your path, you'll be ________________." What do you think? Do you believe in this kind of ________________? In fact, it's hard to understand or explain superstitions. The idea of a black cat goes back many centuries. At that time, many people felt that a black cat was like the ________________. Here's the reason. The devil was known as the leader of a group of ________________. And the witches had a black cat, and the devil usually changed into a black cat in various stories. That's why a black cat was considered as a symbol of bad luck. Is a black cat really evil? Well, there is no ________________ evidence to support such an idea. So don't worry. A black cat crossing your path is simply a superstition.

"아, 안돼! 검은 고양이가 내 앞을 가로질러 갔어!" "왜 이렇게 난리야?" "그거 몰라? 검은 고양이가 너의 길 앞을 가로질러 가면 운이 나쁘다는 거 말이야." 당신은 어떻게 생각하는가? 당신은 이런 종류의 미신을 믿는가? 실제로 미신을 이해하거나 설명하는 것은 어렵다. 검은 고양이에 관한 개념은 여러 세기를 거슬러 올라간다. 그 당시에 많은 사람들은 검은 고양이가 악마와 같다고 생각했다. 여기 그 이유가 있다. 악마는 여러 마녀들의 우두머리라고 알려져 있었다. 그리고 마녀들은 검은 고양이를 길렀고 여러 이야기 속에서 보통 악마가 검은 고양이로 둔갑했다. 그래서 검은 고양이가 불운의 상징으로 여겨졌던 것이다. 검은 고양이는 정말 사악한가? 글쎄, 그러한 생각을 뒷받침할 어떤 과학적인 증거도 없다. 그러니까 걱정할 필요 없다. 당신의 길을 가로질러 가는 검은 고양이는 단순히 미신일 뿐이다.

3 Do you like writing or making up interesting stories? What do you think about being a writer? We often think of a writer as someone who writes books, or newspaper or magazine articles. It is true, but there are some ________________ writing jobs you've hardly heard of. For example, many professional writers write for ________________. They write pamphlets and other kinds of campaign materials to help politicians get ________________. They also write speeches and "sound bites" for them. Even the president is helped by those writers when he or she prepares a ________________. Another type of writing job does not look so attractive, but pays really well. Many people have problems using imported electronic products because their manuals were written in another ________________. So, many companies hire translators, who rewrite manuals in other languages.

당신은 글을 쓰거나 재미있는 이야기를 지어내는 것을 좋아하는가? 작가가 되는 것에 대해 어떻게 생각하는가? 우리는 종종 작가를 책이나 신문 또는 잡지 기사를 쓰는 사람으로 생각한다. 이것은 맞는 말이지만, 당신의 거의 들어보지 못한 특이한 것을 쓰는 직업도 있다. 예를 들어, 많은 전문 작가는 정치인들을 위해 글을 쓴다. 그들은 정치인들이 선출되도록 소책자와 선거 운동 자료를 쓴다. 그들은 또한 정치인들의 연설에 사용하는 글과 '짧지만 효과적인 어구'를 쓰기도 한다. 심지어 대통령까지 연설문을 작성할 때 이러한 작가들의 도움을 받는다. 또 다른 작가는 별로 매력적으로 보이지는 않지만 많은 돈을 번다. 많은 사람은 다른 언어로 적힌 사용설명서 때문에 수입 전자 제품을 이용하는 데 어려움을 겪는다. 그래서 많은 회사에서는 번역가를 고용하는데, 이들은 사용설명서를 다른 언어로 다시 쓴다.

A 다음 주어진 영어는 우리말로, 우리말은 영어로 쓰시오.

1 exactly	______________	11 (시간을) 보내다	______________
2 rarely	______________	12 혼합	______________
3 breathe	______________	13 전체의	______________
4 oxygen	______________	14 내용물	______________
5 shepherd	______________	15 도덕성	______________
6 moral	______________	16 마음대로	______________
7 invisible	______________	17 상태, 조건	______________
8 expand	______________	18 영토	______________
9 symbol	______________	19 영감을 주다	______________
10 possible	______________	20 보존하다	______________

B 다음 주어진 해석을 참고하여, 빈칸을 알맞게 채우시오.

1 What exactly are we breathing in when we take a ______________? Actually, we don't think that much about the air around us but, in fact, we spend our whole life breathing it in! Still, we rarely think about it unless there is something wrong. The air is a mixture of ______________ and ______________. These two gases make up almost 99% of the air, and the rest is a mixture of other gases and water vapor. At ______________ these numbers stay almost the same. However, if you start climbing up a mountain, you will notice that the air becomes 'thinner'. The oxygen content gets smaller, so it takes more ______________ to get the same amount of oxygen to your body. That is why people take oxygen bottles when they ______________ really high mountains.

숨을 쉴 때 우리가 정확히 무엇을 들이마실까? 실제로, 우리는 우리 주위의 공기에 대해 그렇게 많이 생각하지 않지만, 사실, 우리는 그것을 들이마시면서 평생을 보낸다! 그런데도, 우리는 뭔가 잘못되지 않는 한 그것에 관해 거의 생각하지 않는다. 공기는 질소와 산소의 혼합물이다. 이 두 가스는 공기의 99%를 차지하고 나머지는 다른 가스와 수증기의 혼합물이다. 해수면에서 이 수치는 거의 같다. 그렇지만, 산을 오르기 시작하면, 당신은 공기가 점점 '희박해'지는 것을 알게 될 것이다. 산소 함유량이 점점 적어져서 우리 몸은 같은 양의 산소를 얻으려고 더 많이 숨을 쉰다. 그래서 사람들이 정말 높은 산을 오를 때 산소통을 가지고 가는 것이다.

2 In the book of The Republic, Plato mentioned the story of "The Ring of Gyges." This ring presents its owner with the ability to be ________________ at will. If a person puts it on and turns the ring a little, he or she becomes invisible. Gyges, who was only a good shepherd, found the ring in a tomb while he was feeding his flock. And he found out that the ring had a special power. Using the power of invisibility, he tempted the queen and ________________ the king with the help of the queen. Eventually, he became the king himself. Through this story, this book discusses the ________________ of the unpunished condition. If there is no punishment for someone's actions, will a moral and an immoral person ________________ in the same way? This story suggests that both a just and an unjust person act immorally without the fear of ________________ as Gyges did. What will you do if you have the ring of Gyges?

〈국가론〉이라는 책에서 플라톤은 '기게스의 반지'에 관한 이야기를 언급했다. 이 반지는 반지를 낀 사람의 의지대로 눈에 보이지 않게 하는 능력을 부여한다. 어떤 사람이 반지를 끼고 그것을 약간 돌리면 그 사람은 눈에 보이지 않게 된다. 그저 선량한 양치기였던 기게스는 자신의 양에게 먹이를 주다가 무덤 속에서 반지를 발견했다. 그는 그 반지가 특별한 힘이 있다는 것을 알아냈다. 눈에 보이지 않는 능력을 이용해서 그는 왕비를 유혹하고 왕비의 도움을 받아 왕을 죽였다. 결국, 그 자신이 왕이 되었다. 이 이야기를 통해서 이 책은 처벌을 받지 않는 상황에서의 도덕성을 논하고 있다. 누군가가 저지른 일에 대해서 처벌이 가해지지 않는다면 도덕적이거나 비도덕적인 사람 모두 똑같이 행동을 하게 될까? 이 이야기에서는 정의롭든 정의롭지 않은 사람이든 기게스가 했던 것처럼 처벌에 대한 두려움이 없다면 비도덕적으로 행동한다고 말하고 있다. 만약 기게스의 반지가 있다면 당신은 무엇을 하겠는가?

3 Have you ever read The Great Stone Face by Nathaniel Hawthorn? Do you know there is really a mountain with four great stone faces ________________ into it like the one in the story? Actually, there is one called Mount Rushmore in South Dakota. Four faces were carved into the cliff, and each face is 18 meters high. The four faces are the former ________________ of the United States: George Washington, Thomas Jefferson, Theodore Roosevelt, and Abraham Lincoln. All four presidents had great ________________ skills and abilities; they made it possible for the United States to break free from Great Britain, expand its territory, preserve the Union and end ________________, and develop its ________________. The Mount Rushmore National Memorial, now one of the most famous symbols of the United States, represents an aspect of early American history. About one million people visit the place each year and become inspired by the great presidents as the main character of Hawthorn's book was inspired by the Great Stone Face.

당신은 나다니엘 호손이 쓴 〈큰 바위 얼굴〉이라는 책을 읽어본 적이 있는가? 이야기에서 나오는 것처럼 실제로 네 개의 얼굴 모양이 조각된 산이 존재하는 것을 아는가? 실제로, 사우스다코타주에 러시모어산이라 불리는 산 하나가 있다. 그 산의 절벽 쪽에 네 개의 얼굴이 새겨졌고 각각의 얼굴의 높이는 18미터이다. 그 네 개의 얼굴은 미국의 전 대통령들인 조지 워싱턴, 토마스 제퍼슨, 시어도어 루스벨트, 그리고 에이브러햄 링컨의 얼굴이다. 네 명의 대통령은 모두 훌륭한 지도력과 능력을 갖추고 있었다. 그들은 미국이 영국으로부터 독립하고, 영토를 확장하며, 연방주를 보호하고 노예제도를 없애며, 경제를 발전시키는 것을 가능하게 만들었다. 미국의 가장 유명한 상징 중 하나인 러시모어 국립 기념공원은 초기 미국의 역사의 한 면을 보여준다. 약 백만 명의 사람들이 매년 이곳을 방문하고, 호손 책의 주인공이 '큰 바위 얼굴'에 의해 영감을 받은 것처럼 그 위대한 대통령들에게서 영감을 받는다.

A 다음 주어진 영어는 우리말로, 우리말은 영어로 쓰시오.

1 tend to	____________	11 제공하다	____________
2 decrease	____________	12 식사	____________
3 perform	____________	13 중요한	____________
4 heal	____________	14 권리	____________
5 free	____________	15 풀어주다	____________
6 pursue	____________	16 분열되다	____________
7 come to mind	____________	17 목표	____________
8 face	____________	18 거절하다	____________
9 situation	____________	19 묻다	____________
10 mind	____________	20 감당 못하는	____________

B 다음 주어진 해석을 참고하여, 빈칸을 알맞게 채우시오.

1 Do you always eat breakfast? You don't? Well, do you know that breakfast is the most important meal of the day? A good breakfast provides the ____________ that we need to start our day off right. Studies show that students who eat a good breakfast do ____________ in school than those who do not. For example, students who eat a good breakfast tend to perform better and have a better ____________ record. They also have decreased hyperactivity. On the other hand, students who don't eat breakfast are likely not to perform well, and also they tend to have behavior problems such as ____________ and not listening to their teachers.

당신은 늘 아침식사를 하는가? 안 하는가? 그럼, 아침식사가 하루 중 가장 중요한 식사라는 것을 아는가? 제대로 된 아침식사는 우리가 하루를 제대로 시작하기 위해 필요한 영양소를 제공해 준다. 연구에 따르면 제대로 된 아침식사를 하는 학생들이 그렇지 않은 학생들보다 학교생활을 더 잘 한다고 한다. 예를 들면, 제대로 된 아침식사를 하는 학생들이 학교생활을 더 잘하는 경향이 있고 출석률도 더 높다. 그들은 또한 과잉 행동을 감소시켰다. 반면에, 아침식사를 하지 않는 학생들은 학교생활을 잘하지 못할 가능성이 높고, 또한 싸움을 한다든지 선생님의 말씀을 잘 듣지 않는 등의 행동 문제들을 일으키는 경향이 있다.

Answers p.24

2 When you think of the world's great leaders, one name that will come to mind is Nelson Mandela. Nelson Mandela was from South Africa. He spent much of his life fighting with an ________________ system of government known as Apartheid. In this system, the black people in his country were not treated ________________ or they did not have the same right as white people. Many people who fought against the system were killed or put in jail for many years. Mandela spent 27 years of his life in prison, yet when he was finally ________________ , he wasn't angry. Instead, he continued to pursue his goal of a free South Africa and finally became the president of his country. He believed that his country really needed a chance to heal. He said that everyone should learn to ________________ and love each other. Many people believe that he saved South Africa from tearing itself apart and falling into a ________________.

당신이 세계의 위대한 지도자들을 생각할 때 머릿속에 떠오르는 한 이름은 넬슨 만델라일 것이다. 넬슨 만델라는 남아프리카 공화국 출신이었다. 그는 인생의 많은 부분을 아파르트헤이트라고 알려진 정부의 불평등한 제도에 맞서 싸우며 보냈다. 이 제도 속에서 그 나라의 흑인들은 공정하게 대우받지 못하거나 백인들과 같은 권리를 갖지도 못했다. 이 제도에 대항해서 싸웠던 많은 사람이 죽임을 당했거나 여러 해 동안 감옥살이를 해야만 했다. 만델라는 교도소에서 인생의 27년을 보냈지만 마침내 풀려났을 때도 그는 화가 나지 않았다. 대신, 그는 자유로운 남아프리카 공화국이라는 그의 목표를 계속 추구해 나갔고 마침내 그의 나라의 대통령이 되었다. 그는 그의 나라가 치유할 기회가 정말 필요하다고 믿었다. 그는 모든 사람이 서로를 용서하고 사랑하는 것을 배워야 한다고 말했다. 많은 사람들은 그가 남아프리카 공화국이 분열되어 내란에 빠지는 것으로부터 구했다고 믿는다.

3 If you have a pet, you may face some difficult situations. For example, your dog refuses to eat or play. Or your dog ________________ at people or even bites them. It makes you feel helpless because you never know what is on her ________________. However, there are people who say they can read animals' minds and ________________ with them. Heidi Wright is an animal communicator and has worked with all kinds of animals around the world for many years. She helps animal owners understand their animals. We can see her ability to receive ________________ information from animals on TV, and their owners think her communication skills actually work. She says she would love to help people connect with their pets and make their lives happier.

당신이 애완동물을 키운다면 당신은 어려운 상황을 겪을 수도 있다. 예를 들어, 당신의 개가 먹거나 노는 것을 거부하는 것이다. 또는 사람들에게 으르렁대거나, 심지어 물기도 한다. 그 개가 어떤 생각을 하는지 알 수 없어서 당신은 답답함을 느낀다. 하지만, 동물들의 마음을 읽고 그들과 대화할 수 있다고 말하는 사람들이 있다. 하이디 라이트는 애니멀 커뮤니케이터로 수년 동안 세계 곳곳에서 모든 종류의 동물들과 함께 일해 왔다. 그녀는 동물 주인이 자신의 동물을 이해할 수 있도록 돕는다. 우리는 동물로부터 텔레파시 정보를 받는 그녀의 능력을 TV에서 볼 수 있고, 동물들의 주인들은 그녀의 소통 능력이 실제로 효과가 있다고 생각한다. 그녀는 사람들이 그들의 애완동물과 소통하고 그들의 삶이 더 행복해지도록 돕고 싶다고 말한다.

MEMO

수준별 맞춤

Vocabulary 시리즈

The VOCA+BULARY
완전 개정판 1~7

Grammar 시리즈

기초 독해의
확실한 해결책

THIS IS READING

Starter 2

정답 및 해설

NEXUS Edu

기초 독해의
확실한 해결책

THIS IS READING

Starter 2

정답 및 해설

NEXUS Edu

UNIT 01

독해탄탄 VOCA Check 1 p. 12

01 고대의 / 찬성, 격려 / 거절, 비난 / 군중 / 영화
반대의 / 성공 / 전사 / 표현하다 / 몸짓, 제스처

02 여행 / 문화 / 중간 / 정오, 한낮 / 닫다
그늘이 드리워진 / 날씨 / 낮잠 / 피곤한 / 충전하다

03 지구 / 온도, 기온 / 지구 온난화 / 녹다 / 재난
개체 수, 인구 / 감소하다 / 멸종 / 사람 / 물개

독해탄탄 VOCA Check 2 p. 13

1 thumbs-up 2 opposite 3 midday
4 temperature 5 disaster

1 엄지손가락 올리기: 엄지손가락 올리기의 기원은 명백하게 알려져 있지 않다.
2 반대: 엄지손가락을 아래로 내리는 것은 반대를 뜻한다.
3 정오: 스페인어로 시에스타는 정오의 휴식을 뜻한다.
4 기온: 평균 기온은 올라갔다.
5 재난: 비극적인 재난이 발생할 것이다.

01 | Expressions p. 15

1 ④ 2 ② 3 ④

본문 해석

우리는 보통 엄지손가락을 올리거나 내리는 동작으로 찬성이나 반대를 표현한다. 엄지손가락을 올리고 내리는 동작의 기원은 명백하게 밝혀지지 않았지만, 많은 사람들은 그것이 고대 로마 검투사의 결투에서 비롯됐다고 믿는다. 우리는 영화와 책을 통해서 군중이 패배한 전사의 운명을 그들의 엄지손가락으로 결정하곤 했다는 것을 안다. 현대에는 엄지손가락을 올리는 동작은 승낙, 성공이라는 뜻을 나타낸다. 반면 엄지손가락을 내리는 동작은 그 반대를 의미한다. 게다가 엄지손가락을 올리는 동작은 같은 동작이 다른 문화에서는 어떻게 다른 의미를 가지고 있는지를 보여주는 한 예가 된다. 이란이나 이라크와 같은 중동 국가에서는 엄지손가락을 올리는 동작은 모욕적인 동작이다.

문제 해설

1 엄지손가락을 치켜세우는 동작은 이란과 이라크에서 모두 모욕적인 행동으로 여겨지므로 정답은 ④이다.

2 On the other hand(반대로)의 앞 문장에서 엄지손가락을 치켜 세우면 승인이나 성공을 의미한다고 했으므로, opposite(그 반대)은 '실패'를 의미한다고 보아야 한다. 따라서 정답은 ②이다.
① 군중 ③ 승리 ④ 싸움 ⑤ 신체언어

3 빈칸이 있는 문장 앞뒤에서 엄지손가락을 치켜세우는 것이 긍정적인 의미로 쓰이는 경우와, 이 동작이 이란, 이라크 같은 중동 국가에서는 모욕적인 행동으로 받아들여진다는 점이 대조되고 있다. 이를 종합할 때, 똑같은(the same) 동작이 문화마다 다른(different) 의미로 쓰여질 수 있다는 의미가 되어야 하므로 정답은 ④이다.

	(A)	(B)
①	흔한	흔하지 않은
②	명백한	불분명한
③	고대의	현대의
⑤	넓은	좁은

직독 직해

1 우리는 / 흔히 표현한다 / 찬성이나 반대를 / 사용함으로써 / 엄지손가락을 올리거나 / 또는 내리는 동작을
→ 우리는 보통 엄지손가락을 올리고 내리는 동작으로 찬성이나 반대를 표현한다.

2 기원은 / 엄지손가락을 올리고 /그리고 내리는 것의 / ~이 아니다 / 명백하게 알려진
→ 엄지손가락을 올리고 내리는 것의 기원은 명백하게 밝혀지지 않았다.

3 군중들은 / 결정하곤 했다 / 운명을 / 패배한 전사의 / 그들의 엄지손가락으로
→ 군중들은 패배한 전사의 운명을 그들의 엄지손가락으로 결정하곤 했다.

02 | Culture p. 17

1 ② 2 ① 3 ④

본문 해석

"어머, 이런! 가게 문이 닫혔네." "정말? 대낮에 왜 가게 문을 닫지?" 당신은 유럽을 여행하면서 한낮에 많은 상점들이 문을 닫은 것을 볼 수 있다. '시에스타'에 대해 들어본 적이 있는가? 시에스타는 스페인어를 사용하는 많은 나라들의 문화에서 큰 비중을 차지한다. 스페인어로 시에스타는 한낮의 휴식이라는 말이다. 전통적으로, 이런 나라 사람들은 점심시간 즈음에 거한 만찬을 먹으며, 이러한 나라들은 날씨가 매우 덥다. 이 두 가지 요인이 식사를 한 후 사람들을 피곤하게 하고 잠이 오게 만든다. 그래서 그들이 더위를 피하고 신체를 재충전하기 위해 쾌적하고 시원하며 그늘진 장소를 찾는 것은 당연하다. 오늘날, 시에스타는 덜 흔하지만, 이들 나라에 사는 많은 사람들은 아직도 대낮에 낮잠을 잔다.

문제 해설

1 시에스타는 점심시간 후에 낮잠 등 휴식을 취하는 시간이므로 정답은 ②이다.

2 밑줄 친 부분 앞 문장에서 스페인어권 사람들은 점심을 많이 먹는다는 점과 이 지역 날씨가 덥다는 점 두 가지 사실이 언급되었다. 따라서 정답은 ① a big meal, hot weather(거한 만찬, 더운 날씨)이다.
② 닫힌 상점, 정오 휴식 ③ 문화, 스페인어 사용 국가 ④ 그늘진 장소, 열기 ⑤ 한낮, 점심시간

3 점심을 많이 먹고 더운 날씨로 인해 졸리면 낮잠(a nap)을 자는 것이 자연스러우므로 정답은 ④이다.
① 시간 ② 교대 ③ 샤워 ⑤ 장소

직독 직해

1 왜 / 이 가게는 닫혀있지 / 한낮에
→ 한낮에 왜 가게 문을 닫지?

2 당신은 / 볼 수 있다 / 많은 가게를 / 문이 닫힌 / 오후 중반에
→ 당신은 한낮에 많은 상점들이 문을 닫은 것을 볼 수 있다.

3 그래서 / 당연하다 / 그들이 / 찾는 것은 / 쾌적하고, 시원하고, 그늘진 장소를 / 더위를 피하기 위해
→ 그래서 그들이 더위를 피하기 위해 쾌적하고 시원하며 그늘진 장소를 찾는 것은 당연하다.

03 | Environment p. 19

1 ③ 2 ③
3 if we don't do anything about it

본문 해석

지구온난화는 지구가 직면한 가장 심각한 환경 문제이다. 많은 사람이 여름 날씨가 전보다 점점 더 더워지고 있다는 것을 잘 알고 있다. 이것은 동물들에게 영향을 줄 뿐만 아니라 인간들에게도 영향을 미친다. 이런 현상이 계속되면 비극적인 재앙이 일어날 수 있다. 먼저 동물들에게 끼칠 수 있는 영향에 대해 이야기해 보자. 지난 100여 년 동안, 북극의 평균 기온은 거의 섭씨 5도 정도나 올라갔다. 지구온난화는, 북극곰과 바다표범들의 서식지인 많은 북극의 빙하를 녹게 했다. 빙하가 녹음에 따라, 바다표범의 수가 감소하고 있다. 결과적으로, 북극곰은 그들이 가장 좋아하는 먹잇감을 찾기가 매우 어려워질 것이다. 마침내 바다표범과 북극곰은 멸종이라는 커다란 위험에 빠져 있다. 만약 우리가 그것에 대해 아무것도 하지 않는다면 그들은 이 세기 말경에는 모두 죽게 될지도 모른다. 지구온난화가 인간에게는 어떤 영향을 미쳤을까?

문제 해설

1 이 글은 지구온난화 때문에 빙하가 녹으면서 바다표범의 숫자가 줄어들고, 바다표범을 먹고 사는 북극곰의 숫자도 줄어들고 있는 현상에 대해 설명하고 있으므로 정답은 ③이다.
① 지구온난화를 어떻게 막을 것인가
② 북극에서의 삶
③ 지구온난화와 그것이 동물에 끼치는 영향
④ 위험에 처한 야생 생물
⑤ 환경 문제와 지구의 재난

2 이 글에서 지구온난화가 동물에게 미치는 영향을 설명한 뒤, 마지막 부분에서 인간에게 미치는 영향이 어떨지 물어보고 있으므로 정답은 ③이다.

3 if: 만일 ~라면(조건 접속사)
do something about~: ~에 대해 조치를 취하다
(if절에 don't가 쓰였으므로 something 대신 anything을 씀)

직독 직해

1 많은 사람들은 / 잘 알고 있다 / ~라는 것을 / 훨씬 더 더워지고 있다 / 여름에 / 이전보다
→ 많은 사람이 여름 날씨가 전보다 점점 더 더워지고 있다는 것을 잘 알고 있다.

2 지구온난화는 / 만들었다 / 많은 / 북극의 빙하가 / 녹게
→ 지구온난화는 많은 북극의 빙하를 녹게 했다

3 결과적으로 / 더 어려워질 것이다 / 북극곰이 / 찾는 것이 / 그들이 / 가장 좋아하는 먹잇감을
→ 결과적으로, 북극곰은 그들이 가장 좋아하는 먹잇감을 찾기가 더 어려워질 것이다.

Words Review p. 20

1 culture 2 insulting 3 escape
4 tragic 5 melt

1 문화
2 모욕적인
3 탈출하다
4 비극적인
5 녹다

UNIT 02

독해탄탄 VOCA Check 1 p. 22

01 돕다 / 교육 / 친구 / 왕 / 아들
멘토, 조언자 / 궁전 / 단어 / 전쟁 / 신화

02 물다 / 총알 / 수술 / 군인 / 부상을 입은
고통 / 환자 / 흥미로운 / 어려운 / 의사

03 도시 / ~안에 / 젊은 / 빤히 쳐다보다 / 미끄러지다
누르다 / 버튼 / 지팡이 / 빛나는 / 옆으로, 옆에서

독해탄탄 VOCA Check 2 p. 23

1 education 2 operation 3 soldier
4 palace 5 inside

1 교육: 그는 그에게 그의 집과 아들의 교육을 맡겼다.
2 수술: 환자들은 수술 중에 많은 고통을 견뎌야 했다.
3 군인: 의사들은 군인들에게 총알을 물고 있으라고 요청했다.
4 궁전: 왕은 전쟁에 가서 싸우기 위해 궁전을 떠났다.
5 안으로: 그 벽이 열리더니 노부인이 안으로 들어갔다.

01 | Myth p. 25

1 ⑤ 2 ③ 3 experience

본문 해석

'멘토'가 된다는 것은 정확히 무슨 뜻인가? 그 단어는 어디에서 생겨난 말인가? 자, '멘토'라는 단어는 그리스 신화에서 생긴 말이다. 멘토는 이다카의 왕, 오디세우스와 친구로 지냈던 인물의 이름이었다. 오디세우스는 트로이 전쟁에 싸우러 나가면서 멘토에게 자신의 아들, 텔레마코스와 자신의 왕궁을 맡겼다. 다시 말해서, 그는 자신의 집과 아들의 교육을 그에게 맡긴 것이었다. 멘토는 텔레마코스에게 좋은 스승이자 본보기, 믿을 수 있는 조언자가 되었다. 오늘날 사람들은 경험이 적은 멘티에게 조언을 해주고 도움을 주는 경험 많은 사람을 묘사하는 데 '멘토'라는 단어를 쓴다.

문제 해설

1 멘토(Mentor)는 그리스 신화 속 이다카의 왕 오디세우스의 친구의 이름이다. 그는 오디세우스가 전쟁에 나가 있는 동안 그의 아들을 맡아 교육시켰지만, 그리스의 교육 제도를 만들지는 않았으므로 정답은 ⑤이다.
2 describe는 ③ express(표현하다)와 뜻이 같다.
① 가르치다 ② 그림 그리다 ④ 판단하다 ⑤ 알려주다
3 멘토는 경험(experience)이 적은 사람에게 도움을 주고 조언해 준다.

직독 직해

1 무엇을 / 정확히 / 의미하는가 / 된다는 것은 / '멘토'가
→ '멘토'가 된다는 것은 정확히 무슨 뜻인가?
2 다시 말해서 / 그는 / 그에게 맡겼다 / 그의 집 / 그리고 그의 아들의 교육을
→ 다시 말해서, 그는 자신의 집과 아들의 교육을 그에게 맡겼다.
3 사람들은 / 사용한다 / '멘토'라는 단어를 / 묘사하기 위해 / 경험 많은 사람을
→ 사람들은 경험 많은 사람을 묘사하는 데 '멘토'라는 단어를 사용한다.

02 | Origin / Expression p. 27

1 ⑤ 2 bullets, painful
3 ③

본문 해석

'총알을 문다'라는 것이 당신한테는 어떻게 들리는가? 나는 총알을 무는 것이 그리 재미있거나 즐거운 일은 아닐 거라고 생각한다. 환자들은 옛날에는 고통을 줄이는 방법이 없었기 때문에 수술을 하는 동안 많은 통증을 참아야만 했다. 의사들은 고통스런 수술을 하는 동안 환자들이 아무것도 느끼지 못하도록 하게 하는 무언가가 필요했다. 그래서 오래 전 전쟁 중에, 의사들은 부상당한 군인들에게 고통을 참게 하려고 말 그대로 총알을 물고 있으라고 요청했다. 그래도 그것은 당연히 너무나 고통스러웠다. 하지만, 적어도 총알을 물고 있는 것이 통증을 어느 정도는 없애주는 데 도움을 주었다. 오늘날, 누군가가 고통을 참아야 하거나 어떤 어려운 상황에 처해 있을 때는 그 사람이 '총알을 물어야 한다'고 말한다.

문제 해설

1 이 글은 '총알을 물다(bite the bullet: 고통스러운 상황을 견뎌내다)'라는 표현의 유래를 설명하고 있다. 이 표현은 예전에 마취제 없이 고통스러운 수술을 받아야 했을 때, 고통을 견딜 수 있도록 총알을 물었던 데서 비롯되었다고 설명하고 있다. 따라서 주제로 적절한 것은 ⑤이다.
2 과거에 의사들은 수술을 보다 덜 고통스럽게 하기 위해 총알을 사용했다.
3 endure는 ③ put up with(참다)와 뜻이 같다.
① 줄이다 ② 물다 ④ 느끼다 ⑤ 가져가다

직독 직해

1 환자들은 / ~해야 했다 / ~을 견디다 / 많은 고통을 / 수술 중에
→ 환자들은 수술을 하는 동안 많은 통증을 참아야만 했다.
2 의사들은 / 무언가가 필요했다 / 만들기 위한 / 환자들이 / 아무것도 느끼지 않도록 / 고통스런 수술 중에
→ 의사들은 고통스러운 수술을 하는 동안 환자들이 아무것도 느끼지 못하도록 하게 하는 무언가가 필요했다.

3 의사들은 / 요청하곤 했다 / 부상당한 군인들에게 / 말 그대로 / 총알을 물고 있으라고
→ 의사는 부상당한 군인에게 말 그대로 총알을 물고 있으라고 요청했다.

03 | Funny Stories p. 29

1 ⑤ 2 ② 3 ④

본문 해석

어느 날, 한 소년과 아버지가 작은 시골마을에서 도시로 오게 되었다. 그것은 그들의 도시로의 첫 방문이었고, 그들은 새로운 것을 보게 되었다. 그들은 두 개의 빛나는 벽이 중간에서 만나서 옆으로 미끄러지는 것을 보고 놀랐다. 그들은 그것이 무엇인지, 그것이 무엇을 하는 건지 알 수 없었다. 그들은 그냥 그것을 바라보며 그곳에 서 있을 뿐이었다. 그들이 바라보고 있는 동안 작은 노부인이 지팡이를 짚고 걸어왔다. 그녀는 그 움직이는 벽 쪽으로 다가가더니 버튼을 눌렀다. 갑자기, 벽이 열리면서 노부인이 안으로 들어가는 것이었다! 소년과 아버지는 벽 위에 있는 숫자가 적힌 불이 켜지고, 멈추었다가, 이번에는 다시 반대방향으로 불이 켜지는 것을 지켜보았다. 그들은 숫자와 벽을 계속 쳐다보고 있었다. 갑자기 벽이 다시 열리면서 한 아름다운 젊은 여자가 그 안에서 걸어 나왔다. 아버지는 매우 신이 나서 아들에게 말했다. "서둘러! 가서 엄마를 모셔 오너라, 당장!"

문제 해설

1 가운데서 만나는 두 개의 벽(엘리베이터)이 뭔지 모르는 한 아버지와 아들이 한 노부인이 엘리베이터를 타는 것을 보게 된다. 조금 지난 후에 똑같은 엘리베이터에서 젊고 아름다운 여성이 내리는 것을 보게 된다. 이를 보고 아버지는 아들에게 아내를 불러오라고 말하는데, 이는 엘리베이터에 탄 사람이 젊고 아름답게 변한다고 착각한 데서 비롯된 것이라고 할 수 있다. 따라서 정답은 ⑤이다.

2 이 글은 엘리베이터를 처음 접한 사람들의 반응을 재미있게 보여주고 있으므로 정답은 ② humorous(재미있는)이다.
① 슬픈 ③ 지루한 ④ 평화로운 ⑤ 무서운

3 밑줄 친 the two shiny walls는 엘리베이터의 문을 가리킨다. 따라서 정답은 ④ an elevator(엘리베이터)이다.
① 창문 ② 거울 ③ 벽장 ⑤ 전화 부스

직독 직해

1 그것은 / ~이었다 / 그들의 첫 방문 / 그 도시로의 / 그리고 / 그들은 보았다 / 새로운 것을
→ 그것은 그들의 도시로의 첫 방문이었고, 그들은 새로운 것을 보게 되었다.

2 그들은 / 이해하지 못했다 / 그것들이 무엇이었는지 / 또는 / 그것들이 무엇을 하는지
→ 그들은 그것이 무엇인지, 그것이 무엇을 하는 건지 알 수 없었다.

3 그들은 / 계속 바라보았다 / 그 숫자들을 / 그리고 그 벽들을
→ 그들은 숫자와 벽을 계속 쳐다보고 있었다.

Words Review p. 30

1 mentor 2 wounded 3 pain
4 press 5 slide

1 멘토
2 부상당한
3 고통
4 누르다
5 미끄러지다

UNIT 03

독해탄탄 VOCA Check 1 p. 32

01 거리 / 구부러진 / 차량, 운송수단 / 아래로 / 곡선
날카로운 / 가파른 / 명소 / 사진 / 보행자
02 힘 / 생각하다 / 칭찬 / 펼치다, 퍼뜨리다 / 받다
듣다 / 기억하다 / 말하다 / 의미하다 / 행복한
03 아래의 / 피부가 흰 / 비교하다 / 날개 / 소작농
춤 / 땅 / 전통적인 / 홍학 / 유명한

독해탄탄 VOCA Check 2 p. 33

1 crooked 2 vehicle 3 downhill
4 power 5 fair-skinned

1 구부러진: 여러분은 가장 구부러진 길에 대해 들어본 적이 없을 것이다.
2 차량: 많은 차량들이 언덕 위 아래로 이동하는 것이 힘들었다.
3 아래로: 그것은 아래로 나아가는 일방통행로이다.
4 힘: 여러분은 그것이 일어나게 할 수 있는 힘이 있다.
5 피부가 하얀: 그들의 피부는 붉고 하얗다.

01 | Places p. 35

1 ② 2 ③
3 love to walk, take a photograph

본문 해석

당신은 세계에서 가장 길거나 가장 넓은 길이 어디인지 알고 있는가? 그렇다면, 가장 구불구불한 길은 어떠한가? 캘리포니아의 샌프란시스코에 있는 롬바드 가는 커브가 여덟 개인 한 블록짜리 길로 유명하다. 이 길의 구불구불한 부분은 처음에 언덕의 경사를 줄이기 위해 고안되었는데, 많은 차량과 보행자들이 언덕을 오르고 내리는 데 어려움을 겪었기 때문이다. 현재 이 길은 아랫방향으로만 가는 일방통행이고 속도 제한은 겨우 시속 8킬로이다. 이 길은 샌프란시스코에서 가장 유명한 명소 중 하나이기도 하다. 관광객들은 이 길을 따라 걷거나 차를 타고 내려가고, 길 앞에서 사진을 찍는 것을 좋아한다.

문제 해설

1 롬바드 가는 경사가 매우 가파르기 때문에 다니는 데 불편해서 경사를 줄일 목적으로 급커브 구간을 만든 것이므로 정답은 ②이다.

2 롬바드 가는 한 블록 안에 여덟 개의 급커브 구간이 있는 것으로 유명하다고 했으므로 정답은 ③이다.
① 많은 관광객이 그것을 보려고 L.A.로 간다.
② 그것은 많은 관광객을 모으기 위해 만들어졌다.
③ 그것은 여덟 개의 급커브 구간이 있는 한 블록을 가지고 있다.
④ 캘리포니아에서 가장 넓은 도로이다.
⑤ 많은 차들이 오르막길로 가는 것을 볼 수 있다.

3 love to walk: 걷는 것을 좋아하다
(to walk는 love의 목적어로 쓰인 to부정사)
take a photograph: 사진을 찍다

직독 직해

1 많은 / 자동차와 보행자들이 / 어려움을 겪었다 / 오르고 내리는 데 / 그 언덕을
→ 많은 차량과 보행자들이 언덕을 오르고 내리는 데 어려움을 겪었다.

2 이제 / 그것은 ~이다 / 일방통행로 / 아랫방향으로 향하는
→ 현재 이 길은 아랫방향으로만 가는 일방통행이다.

3 그것은 ~이다 / 또한 지금 / 가장 유명한 관광지 중 하나이다 / 샌프란시스코에서
→ 이 길은 샌프란시스코에서 가장 유명한 명소 중 하나이다.

02 | Psychology p. 37

1 ⑤ 2 ④
3 Do you want something good

본문 해석

때로는 그저 작은 한 마디가 어떤 사람에게 큰 영향을 줄 수 있다. 누군가가 당신에게 "참 잘했어!"라고 얘기하는 것을 들었을 때 어떤 기분이 드는가? 우리는 때때로 칭찬하기가 간단하고 그렇게 많은 것을 의미하지는 않는다고 때때로 생각한다. 하지만, 그것들은 실제로 많은 것을 의미한다. 항상 이것을 기억하라! 누군가가 착한 일을 할 때마다 그에게나 그녀에게 칭찬하려고 노력해라. 당신이 칭찬할 때 칭찬을 받는 사람뿐만 아니라 당신의 기분도 좋게 해준다는 것을 알게 될 것이다. '자업자득'이라는 것은 당신이 다른 사람에게 좋은 감정을 퍼뜨린다면 그것들이 당신에게 머지않아 돌아올 것이라는 것을 의미한다. 당신에게 뭔가 좋은 것이 되돌아오기를 원하는가? 당신은 그것을 가능하게 하는 힘을 가지고 있다.

문제 해설

1 이 글은 칭찬을 받는 사람이나 칭찬을 하는 사람 모두 칭찬의 긍정적인 영향을 받는다는 내용으로 주제로 적절한 것은 ⑤이다.

2 빈칸 (A)가 있는 문장은 칭찬을 받을 때 어떤 기분이 드는지 묻고 있다. 빈칸 (B)가 있는 문장은 칭찬을 할 때, 칭찬을 하는 사람이나 받는 사람이나 기분이 좋아진다는 말을 하고 있다. 빈칸에는 둘 다 시간을 나타내는 접속사 when(~할 때)이 적절하다.
① 무엇을 ② ~이기 때문에 ③ ~이라는 것 ④ ~할 때 ⑤ 왜

3 want: 동사
something good: 목적어(-thing으로 끝나는 말은 형용사가 뒤에서 수식)
to come back to you: 목적격보어

직독 직해

1 때때로 / 작은 말조차도 / 가질 수 있다 / 큰 영향을 / 한 사람에게
→ 때로는 그저 작은 한 마디가 한 사람에게 큰 영향을 줄 수 있다.

2 그것은 / 당신을 만들 수 있다 / 행복하게 / 뿐만 아니라 / 사람들 / 받는 / 칭찬을
→ 그것은 칭찬을 받는 사람뿐만 아니라 당신의 기분도 좋게 만들 수 있다.

3 당신은 / 갖고 있다 / 힘을 / 만들 수 있는 / 그것이 / 일어나게
→ 당신이 그것을 가능하게 하는 힘을 가지고 있다.

03 | Entertainment p. 39

1 ② 2 ③ 3 ⑤

본문 해석

(B)

스페인에서 가장 유명한 전통 춤은 '플라멩코' 춤이라고 한다. 이 단어가 어디에서 유래하였는지 아는가? 실제로, 어느 누구도 정확히 아는 것 같진 않다. 그것에 대해 많은 다른 이론들이 있다.

(C)

하나의 간단한 설은 이러한 스타일의 춤이 홍학(flamingo)이 움직이는 것과 비슷하다는 것이다. 또 다른 설은 플라멩코라는 이름이 '플랑드르 사람'에서 비롯되었다는 것이다. 플랑드르 사람들은 한 때 스페인의 점령을 받았던 벨기에, 플랑드르 출신의 사람들이다. 그들은 스페인 사람들에 비해 불그스름하고 하얀 피부를 가졌었다. 홍학의 날개 안쪽의 색깔이 불그스름한 분홍색이기 때문에 플랑드르 사람들은 또한 플라멩코라고 불렸다.

(A)

많은 사람들이 믿는 마지막 설은 아랍어 '펠라 멩구'에서 유래했다는 것이다. '펠라 멩구'는 '땅이 없는 농부'를 의미한다. 당신이 어떤 설을 믿든지, 플라멩코는 우리가 시도해볼 만한 정말로 놀랍고 아름다운 춤 스타일이다. 플라멩코 춤을 배우고 싶은가? 해보는 게 어떤가?

문제 해설

1 이 글은 플라멩코 춤의 이름이 어떻게 생겨난 것인지에 대한 몇 가지 설을 소개하고 있다. 홍학(flamingo)에서 유래되었다는 설, 홍학 날개 아래 부분처럼 불그스름한 흰색 피부를 가진 플랑드르인(Flemings)에게서 유래되었다는 설, 아랍어 '플라멩구(fellah mengu)'에서 유래되었다는 설 등 다양한 이론을 나열하고 있으므로 정답은 ②이다.
① 플라멩코 춤을 추는 법
② 플라멩코라는 이름의 유래
③ 왜 스페인사람들은 플라멩코를 사랑하는가
④ 홍학의 움직임
⑤ 플랑드르인들의 삶

2 (B)에서 플라멩코 춤의 이름이 어디서 생겨났는지 질문하고 있으므로 제일 먼저 나와야 한다. (A), (C)에서 '플라멩코' 이름의 유래에 대한 다양한 설을 소개하고 있는데, (C)는 One simple theory is로 시작하고, (A)는 The final theory로 시작하는 것으로 보아, (C)가 (A)보다 먼저 나오는 것이 자연스럽다.

3 플레밍(Flemings) 사람들은 벨기에 사람들로 스페인의 지배를 받은 적이 있는데, 피부 색이 홍학 날개 아래 부분처럼 붉은 흰색을 띠고 있어서 플라멩코(flamenco)라고도 불린다고 했다. 플레밍 사람들이 홍학의 움직임을 보고 춤을 만들었다는 내용은 언급되지 않았으므로 정답은 ⑤이다.

직독 직해

1 그것은 ~이다 / 정말로 놀랍고 아름다운 스타일 / 춤의 / 우리가 / 시도해볼 만한
→ 그것은 우리가 시도해볼 만한 정말로 놀랍고 아름다운 춤 스타일이다.

2 당신은 아는가 / 어디서 / 이 단어가 / 유래한 것인지
→ 당신은 이 단어가 어디에서 유래하였는지 아는가?

3 이러한 스타일은 / 춤의 / 유사해 보인다 / 방식과 / 홍학이 / 움직이는
→ 이러한 스타일의 춤은 홍학이 움직이는 것과 비슷하다.

Words Review p. 40

1 pedestrian	2 reduce	3 spread
4 theory	5 similar	

1 보행자
2 축소하다
3 퍼뜨리다
4 이론
5 비슷한

UNIT 04

독해탄탄 VOCA Check 1 p. 42

01 몇몇의 / 시리얼, 곡물 / 고기 / 전문가 / 균형 식이 요법 / 과일 / 유제품의 / 건강한 / 파스타
02 화살 / 금으로 만든 / 강한 / 처벌하다 / 여신 질투하는 / 찌르다 / 심장 / 쏘다 / 증오하다
03 딸꾹질 / 근육 / 호흡하다 / (얇게 썬) 조각 / 수영장 정육면체 / 빨다 / 치료(약) / 놀라게 하다 / 마시다

독해탄탄 VOCA Check 2 p. 43

1 several	2 meat	3 arrow
4 muscle	5 breath	

1 몇몇의: 우리가 몇몇 음식을 함께 먹으면 우리에게 더 이롭다.
2 고기: 당신은 고기와 야채를 먹어야 한다.
3 화살: 큐피드는 두 개의 화살로 사랑과 증오를 전파한다.
4 근육: 딸꾹질은 호흡을 돕는 근육과 관계 있다.
5 숨, 호흡: 또 다른 방법은 할 수 있는 만큼 숨을 참는 것이다.

01 | Health p. 45

1 ④	2 ⑤	3 ②

본문 해석

당신이 가장 좋아하는 음식은 무엇인가? 고기를 좋아하는가? 아니면 생선을 좋아하는가? 채소? 피자? 우리 몸에 가장 좋은 음식은 무엇인가? 글쎄, 그것은 실제로 많은 것들의 결합이다! 다시 말해서, 여러 가지 음식을 함께 먹는다면, 우리에게 더욱 좋은 것이다. 그렇다. 의사들과 기타 전문가들은 "균형 잡힌 식단의 음식이 당신에게 가장 좋은 것이다."라고 말한다. 당신은 매일 다른 '군'의 음식을 먹어야 한다. 다른 '군'의 음식이라는 것이 무슨 의미인가? 예를 들어 당신은 매일 고기와 야채를 먹어야 한다. 그리고 과일과 우유나 요구르트와 같은 유제품도 먹어야 한다. 항상 이것을 명심해라. 건강에 좋은 음식을 먹는 것이 건강을 유지하는 것이다. 당신이 먹는 것이 바로 당신의 몸이 된다.

문제 해설

1 이 글은 몸에 좋은 음식이 따로 있는 것이 아니라 고기, 야채, 유제품, 곡류 등 다양한 식품군을 골고루 섭취해야 한다고 설명하고 있다. 따라서 주제로 적절한 것은 ④이다.

2 combination은 ⑤ mixture(혼합, 섞임)과 의미가 같다.
① 먹기 ② 요리하기 ③ 연결 ④ 사슬

3 빈칸 (A) 뒤에 나열한 채소류, 육류, 과일류, 유제품 등은 앞에서 언급한 다양한 식품군(groups of food)에 대한 예이므로 예시를 나타내는 연결어가 적절하다. 빈칸 (B) 뒤에 나열한 milk, yogurt는 유제품(dairy products)의 예이므로 예시를 나타내는 전치사가 적절하다. 이 두 가지를 만족하는 선택지는 ②이다.

	(A)	(B)
①	게다가	위에
②	예를 들어	~와 같은
③	그러나	다시
④	게다가	결국
⑤	그때	아래

직독 직해

1 매일 / 당신은 / 먹어야 한다 / 몇 가지 것들을 / 다른 식품 '군'으로부터
→ 당신은 매일 다른 '군'의 음식을 먹어야 한다.

2 당신은 / 먹어야 한다 / 고기 / 그리고 야채를 / 매일
→ 당신은 매일 고기와 야채를 먹어야 한다.

3 당신이 먹는 것이 / 만든다 / 당신을 / 당신의 모습(상태)으로
→ 당신이 먹는 것이 바로 당신의 몸이 된다.

02 | Myth p. 47

1 ② 2 ②

3 The gods decided to make her a goddess.

본문 해석

사랑의 신, 큐피드는 사랑과 미움을 그의 두 화살로 퍼뜨린다. 큐피드가 누군가에게 그의 금으로 된 화살을 쏘면, 그 사람은 옆에 있는 사람과 사랑에 빠지게 된다. 반면에, 그가 납으로 된 화살을 누군가에게 쏘면 그 사람은 옆에 있는 사람에게 증오심을 느끼게 된다. 큐피드 화살에 대한 많은 이야기가 있다. 가장 유명한 것이 그 자신의 이야기이다. 그가 그의 어머니인 비너스의 명령으로 프시케에게 벌을 주려고 하는데 실수로 사랑의 화살에 찔리게 되어 프시케와 사랑에 빠지게 됐다. 불행하게도, 프시케는 인간이었고 비너스가 그녀의 아름다움을 질투했기 때문에 그와 프시케의 사랑은 허락되지 않았다. 그러나 그들은 모든 어려움을 극복했고, 신들은 그들의 사랑이 얼마나 강한지 알게 되었다. 신들은 그녀를 여신으로 만들기로 결정했다. 이런 이유로 큐피드의 화살에 꽂힌 심장이 가장 인기 있는 사랑의 상징이 되었다.

문제 해설

1 큐피드는 비너스의 명령으로 프시케를 벌하려다가 실수로 사랑의 화살을 자신에게 찌르게 되어 프시케를 사랑하게 되었다고 했으므로 정답은 ②이다.

2 ⓑ는 큐피드의 화살을 맞은 사람을 지칭하며, 나머지 ⓐ, ⓒ, ⓓ, ⓔ는 큐피드를 가리킨다.

3 decide+to부정사: ~하기로 결정하다
make+목적어(A)+목적격보어(B): A를 B로 만들다

직독 직해

1 사랑은 / 그들 사이의 / 허락되지 않았다 / ~ 때문에 / 프시케는 / 단지 인간이었다
→ 프시케는 인간이었기 때문에 그들 사이의 사랑은 허락되지 않았다.

2 신들은 / 알게 되었다 / 얼마나 강한지 / 그들의 사랑이
→ 신들은 그들의 사랑이 얼마나 강한지 알게 되었다.

3 심장은 / 큐피드의 화살에 뚫린 / 되었다 / 가장 유명한 상징이 / 사랑의
→ 큐피드의 화살이 꽂힌 심장이 가장 인기 있는 사랑의 상징이 되었다.

03 | Useful Info p. 49

1 ① 2 ③

3 They stimulate a special nerve controlling the diaphragm.

본문 해석

우리 모두는 일생에서 적어도 한번은 딸꾹질을 경험한 적이 있다. 딸꾹질은 횡경막과 관련이 있는데, 이것은 우리가 숨을 쉬게 도와준다. 딸꾹질은 횡경막이 갑자기 수축하면서 발생한다. 어떤 때는 딸꾹질이 자연스럽게 멈추기도 하지만, 또 어떤 경우에는 절대로 멈추지 않을 것 같은 때도 있다.
여기 딸꾹질을 멈추게 하는 방법 몇 가지가 있다. 가장 쉽고 간단한 방법은 물을 천천히 마시는 것이다. 또 다른 방법은 마치 수영장에 뛰어들 준비를 할 때처럼 숨을 가능한 오래 참는 것이다. 각설탕이나 레몬 한 조각을 빨아먹는 것도 딸꾹질을 멈추게 하는데 효과적이다. 그리고 누군가에게 놀라게 해 달라고 부탁하는 것 또한 딸꾹질을 달아날 수 있게 하는 방법이다.
그러나, 이런 민간요법이 어떻게 효과가 있는가? 그것들은 효과적이다. 왜냐하면, 그것들은 횡경막을 자극하는 특정한 신경을 자극하고, 그 신경이 딸국질을 멈추게 하기 때문이다. 딸꾹질을 멈추게 하는 다른 방법들도 있지만, 당신에게 가장 효과가 있는 것이 무엇인지 알아내야 한다.

문제 해설

1 딸꾹질은 횡경막이 갑자기 수축하면서 발생한다. 따라서 정답은 ①이다.
2 이 글에서 딸꾹질을 멈추는 다양한 방법이 소개되었다. 물 천천히 마시기, 숨 참기, 각설탕이나 레몬 조각 빨아 먹기, 갑자기 놀라기 등이 소개되었지만 소금을 섭취하라는 내용은 없으므로 정답은 ③이다.
① 줄리: 나는 1분 넘게 숨쉬기를 멈출 거야.
② 크리스: 나는 레몬같이 신 것을 먹을 거야.
③ 마크: 나는 내 음식에 소금을 좀 추가할 거야.
④ 케이트: 나는 내 형제한테 나를 놀라게 해달라고 할 거야.
⑤ 패트릭: 나는 물 한 병을 천천히 마실 거야.
3 마지막 문단에서 딸꾹질을 멈추는 민간 요법은 공통적으로 횡경막을 제어하는 신경을 자극한다고 했다.

직독 직해

1 딸꾹질은 / 관련이 있다 / 횡경막과
→ 딸꾹질은 횡경막과 관련이 있다.
2 또 다른 방법은 / ~이다 / 당신의 숨을 참는 것 / 오랫동안 / 당신이 할 수 있는
→ 또 다른 방법은 할 수 있는 한 아주 오래 숨을 참는 것이다.
3 당신은 / 해야 한다 / 알아내다 / 어떤 것이 / 가장 효과가 있는지 / 당신에게
→ 당신은 자신에게 가장 효과가 있는 것이 무엇인지 알아내야 한다.

Words Review p. 50

1 dairy 2 shoot 3 hiccup
4 remedy 5 contract

1 유제품
2 쏘다
3 딸꾹질
4 치료법
5 수축하다

UNIT 05

독해탄탄 VOCA Check 1 p. 52

01 배우다 / 졸업 / 학생 / 일생, 평생 / 가족
시간 / 생각 / 대답 / 즐거운 / 직장
02 이발소 / 나무로 된 / 면도하다 / 서랍 / 볼
삼키다 / 흥분한 / 대답하다 / ~사이에 / 입
03 수줍음을 많이 타는 / 상상력이 풍부한 / 혈액 / 공유하다 / 집중 / 대화 / 지표 / 이상한, 기묘한 / 믿다 / 백분율, 퍼센트

독해탄탄 VOCA Check 2 p. 53.

1 learn 2 Graduation 3barbershop
4 wooden 5 positive

1 배우다: 늘 기꺼이 열심히 일하고 새로운 것을 배워라.
2 졸업: 졸업은 끝이 아니라 시작이다!
3 이발소: 한 남자가 면도를 하러 이발소에 갔다.
4 나무로 된: 그는 서랍으로 가서 작은 나무 공을 꺼냈다.
5 혈액: 한국에서 가장 흔한 혈액형은 A양성이다.

01 | Psychology p. 55

1 ① 2 ⑤ 3 ④

본문 해석

당신은 어떻게 행복한 사람이 될 수 있을까? 이 질문에 완벽한 답은 물론 없다. 하지만, 여기 당신을 위한 몇 가지 좋은 제안들이 있다. 무엇보다도, 새로운 사고에 마음의 문을 열어라. 다시 말하자면, 마음을 닫지 말고 열린 마음으로 새로운 것을 받아들이거나 적어도 시도는 해보라는 것이다. 또한, 배우는 것을 절대 멈추지 마라. 학생의 자세로 있는 것은 평생 해야 하는 과업이라는 것을 명심하라. 졸업은 끝이 아니라 시작이다! 항상 열심히 일하려고 하고 새로운 것을 배워라. 만약 무언가가 당신이 더 좋고 행복한 삶을 살 수 있도록 돕는다면 그것은 노력해 볼 가치가 있다. 마지막으로 균형 잡힌 생활을 하도록 노력해라. 열심히 일하는 것도 중요하지만, 즐거움, 가족, 친구들을 위한 시간도 충분히 남겨 두어야 한다.

문제 해설

1 이 글은 행복해지기 위해 필요한 여러 가지 노력들에 대해 소개하고 있으므로 정답은 ①이다.
① 더 행복한 삶을 위한 조언
② 어떻게 성공한 직원이 될 것인가
③ 건강한 삶을 위한 매일의 습관
④ 재미와 행복의 차이
⑤ 평생 교육의 중요성

2 글쓴이는 배우는 것이 평생의 과업이고 공부에 때가 있다고 하지 않았으므로 정답은 ⑤이다.

3 빈칸에 들어갈 수 있는 연결어는 행복해지기 위한 여러 가지 조언 중 첫 번째 항목 앞에 들어가야 하므로 정답은 ④이다.
① 그러나 ② 반면에 ③ 그러므로 ④ 우선 ⑤ 게다가

직독 직해

1 명심해라 / ~라는 것을 / 학생으로 있는 것이 / ~이다 / 평생의 과업
→ 학생의 자세로 있는 것은 평생 해야 하는 과업이라는 것을 명심하라.

2 언제나 / 기꺼이 ~해라 / 열심히 일하다 / 그리고 / 배워라 / 새로운 것들을
→ 항상 열심히 일하려고 하고 새로운 것을 배워라.

3 만일 / 무언가가 돕는다면 / 당신이 / 살도록 / 더 좋고 더 행복한 삶을 / 그러면 / 그것은 가치가 있다 / 노력할 만한
→ 만약 무언가가 당신이 더 좋고 더 행복한 삶을 살도록 돕는다면 그것은 노력해볼 가치가 있다.

02 | Funny Stories p. 57

1 ① 2 ③
3 남자 손님이 자그마한 나무 공을 입과 볼 사이에 넣게 했다.

본문 해석

한 남자가 면도를 하러 이발소에 들어갔다. 그는 이발사에게, "집에서는 도통 면도를 짧게 못하겠더라고요."라고 말했다. 그러면서 또 이발사에게 물었다, "어떻게 하면 짧게 면도를 할 수 있을까요?" 이발사는 잠시 생각하더니 말했다. "도움이 될 완벽한 방법이 있습니다." 그는 서랍으로 가더니 자그마한 나무 공을 꺼냈다. "이것을 입 안에 넣으세요."라고 말했다, "볼과 이 사이에요." 남자는 그렇게 했고, 이발사는 계속 면도를 했다. 이발사가 면도하고 있을 때 남자는 이발사가 정말 짧게 면도를 하고 있는 것을 알아차렸다. 남자는 흥분하며 말했다, "대단하네요! 그런데 만약 제가 이것을 삼키면 어떡하죠?" "전혀 문제 없습니다." 이발사가 대답했다, "그냥 내일 가지고 오시면 되죠. 다른 분들도 다 그렇게 하신답니다."

문제 해설

1 이 글 마지막에서 나무 공을 물고 있던 손님이 공을 삼키면 어떻게 하는지 묻자, 이발사는 내일 가지고 오면 된다며, 이전의 손님들도 다 그렇게 했다고 대답하고 있다. 이를 통해 다른 손님들도 공을 삼킨 적이 있음을 알 수 있으므로 정답은 ①이다.

2 ⓒ는 이발사를, 나머지는 손님을 가리킨다. 따라서 정답은 ③이다.

3 이발사는 수염을 바짝 밀고 싶다는 손님의 말을 듣고, 손님에게 이와 볼 사이에 나무 공을 물게 한 뒤 면도를 하자, 수염이 짧게 잘렸다.

직독 직해

1 한 남자는 / 갔다 / 이발소에 / 면도하러
→ 한 남자가 면도를 하러 이발소에 갔다.

2 그는 / 서랍으로 갔다 / 그리고 꺼냈다 / 작은 나무 공을
→ 그는 서랍으로 가더니 자그마한 나무 공을 꺼냈다.

3 남자는 깨달았다 / ~라는 것을 / 그 이발사가 / 그를 면도하고 있었다 / 정말로 짧게
→ 남자는 이발사가 정말 짧게 면도를 하고 있는 것을 알아차렸다.

03 | Interesting Fact p. 59

1 ② 2 ② 3 ⑤

본문 해석

"넌 참 수줍음이 많고 아주 내성적이다. 너의 혈액형은 A이지, 그렇지?" "넌 참 특이하고 상상력이 풍부하다. 분명히 네 혈액형은 AB일 거야. 내 말이 맞지?" 이런 대화를 들어본 적이 있는가? 한국에서는 사람들이 혈액형에 많은 관심을 둔다. 그들은 사람의 혈액형이 그 사람의 성격이 어떨지를 알려주는 지표가 될 수 있다고 믿는다. 그럼 한국과 전 세계에서 가장 많은 혈액형은 무엇일까? 한국에서 가장 흔한 혈액형은 A플러스(양성)이다. 그 다음으로 O플러스, B플러스이고, AB플러스는 네 번째이다. 흥미로운 것은 한국에서는 다른 어떤 나라보다 AB플러스형 사람들의 비율이 훨씬 더 높다는 것이다. 또한, 한국에는 마이너스(음성) 혈액형을 가진 사람이 거의 없다. 홍콩과 함께 세계에서 가장 낮은 마이너스 혈액형의 비율을 가지고 있다.

문제 해설

1 이 글에서 AB+형의 비율이 가장 높은 나라는 한국이라고 했으므로 정답은 ②이다.

2 한국에서는 A+형이 가장 많고, O+형이 두 번째로 많다. 따라서 정답은 ②이다.

3 weird는 '특이한'이라는 뜻이 있다. 따라서 정답은 ⑤이다.

직독 직해

1 한 사람의 혈액형은 / 될 수 있다 / ~의 지표가 / 그 사람의 성격이 어떤지에 대한
→ 사람의 혈액형이 그 사람의 성격이 어떨지를 알려주는 지표가 될 수 있다.

2 무엇인가 / 가장 흔한 혈액형은 / 한국에서 / 그리고 / 전 세계에서
→ 한국과 전 세계에서 가장 많은 혈액형은 무엇일까?

3 한국은 / 사람들이 거의 없다 / ~을 가진 / 마이너스 혈액형을
→ 한국에는 마이너스 혈액형을 가진 사람이 거의 없다.

Words Review p. 60

1 open-minded	2 perfect	3 realize
4 imaginative	5 common	

1 열린 마음의
2 딱 맞는
3 깨닫다
4 상상력이 풍부한
5 흔한

UNIT 06

독해탄탄 VOCA Check 1 p. 62

01 뚱뚱한 / 체중 / 종류 / 운동하다, 운동 / 걷기
조깅 / 자전거 / 타다 / 마른 / 잃다, 감소하다
02 지도자 / 연설 / 평화적인 / 인종, 종족 / 폭력
피부 / 판단하다 / 항의, 시위 / 강조하다 / 고치다
03 차이, 다름 / 럭비 / 비슷한 / 규칙 / 달리다
우승자 / 트로피 / 발명하다 / 축구 / 보다

독해탄탄 VOCA Check 2 p. 63

1 weight	2 exercise	3 speech
4 race	5 trophy	

1 몸무게: 몸무게를 줄이고 싶은가?
2 운동하다: 여러분은 운동해야 한다.
3 연설: 그의 가장 유명한 연설은 〈나에게는 꿈이 있습니다〉 연설로 알려져 있다.
4 인종: 미국에서 인종 관계가 무엇이 잘못되었나?
5 트로피: 우승자는 달리기 경주 후에 트로피를 받을 것이다.

01 | Health p. 65

1 ②	2 to eat less and healthier
3 ③	

본문 해석

당신은 자신이 뚱뚱하다고 생각하는가? 체중을 줄이고 싶은가? 체중을 줄이고 싶다면, 이것을 기억하라. 몸무게를 줄이는 방법은 식사량을 줄이고 더 건강하게 먹는 것이다. 그리고 다른 방법은 당신이 먹는 여분의 열량을 소모하는 것이다. 어떻게 말인가? 당신은 운동을 해야 한다. 체중을 줄일 수 있는 최고의 운동은 유산소 운동인데, 예를 들어 걷기, 달리기, 혹은 자전거 타기가 있다. 대부분 전문가들은 어떠한 유산소 운동이든 하루에 적어도 45분간, 일주일에 6일 할 것을 권한다. 그것으로부터 최고의 효과를 보기 위해서는 연속적인 운동이 되어야 한다! 걷기나 달리기를 즐겨라. 그러면, 당신은 더 날씬해지고 건강해질 것이다.

문제 해설

1 전문가들은 유산소 운동을 할 때 적어도 일주일에 6일씩, 하루에 45분을 연속해서 운동하라고 했다. 보기 중에 이에 해당하는 것은 ②이다.

2 One way of losing weight: 주어
is: 동사
to eat less and healthier: 보어 (less and healthier는 to eat을 수식하는 부사구)

3 빈칸 뒤의 걷기, 달리기, 자전거 타기 등은 유산소 운동의 예가 되므로 빈칸에 적절한 연결어는 ③ for example이다.
① 그런데 ② 그때 ④ 그러므로 ⑤ 지금

직독 직해

1 만일 / 당신이 원한다면 / 몸무게를 줄이기를 / 이것을 기억해라
→ 체중을 줄이고 싶다면, 이것을 기억하라.

2 최고의 운동은 / 몸무게를 줄이기 위한 / ~이다 / 유산소 운동
→ 체중을 줄일 수 있는 최고의 운동은 유산소 운동이다.

3 그것은 / ~이어야 한다 / 연속적인 운동 / 만일 / 당신이 원한다면 / 최고의 효과를 얻는 것을 / 그것으로부터
→ 그것으로부터 최고의 효과를 보기 원한다면 연속적인 운동이 되어야 한다!

02 | People p. 67

1 ② 2 ③ 3 ⑤

본문 해석

20세기에 가장 잘 알려진 미국인 중 한 명은 마틴 루터 킹 주니어였다.

(B)

그는 가장 유명한 미국 시민 인권 운동의 지도자였는데, 그것은 주로 인권 운동을 성공적으로 만든 그의 노고 덕분이었다. 그의 가장 유명한 연설은 "나에게는 꿈이 있습니다"로 알려졌고 그는 워싱턴 D.C.에서 1963년에 그 연설을 했다.

(A)

그 연설에서 그는 미국에서 인종 관계에 있어서 무엇이 잘못되었는지에 대해서 말했고, 폭력이 아니라 평화적인 대화를 통해서만 바로잡을 수 있다고 말했다. 그는 폭력은 절대로 정의를 달성할 수 있는 수단이 될 수 없다고 강하게 믿었다. 그는 또한 사람을 피부색이 아니라 마음과 정신으로 평가하는 그런 미래의 사회에 대한 자신의 꿈에 대해서 이야기했다.

(C)

슬프게도, 그는 나이 40이 되기 전에 그의 생을 마감했다. 그는 1968년 시위 집회로 가던 길에 호텔 난간에서 죽임을 당했다. 오늘날, 그는 미국의 영웅으로 기억되고 있고, 1월마다 그를 기리는 국경일이 있다.

문제 해설

1 (B)에서 처음으로 〈I Have a Dream〉 연설문이 언급되고, (A)에서 이 연설문의 내용을 소개하고 (C)에서 마틴 루터 킹이 어떻게 생을 마감했는지, 그리고 오늘날 그를 기리는 국경일이 있다는 내용으로 마무리하고 있으므로 자연스러운 글의 순서는 (B) – (A) – (C)이다.

2 마틴 루터 킹이 암살당한 것은 40세가 되기 전이므로 40세 때 〈I Have a Dream〉을 연설했다는 것은 내용과 일치하지 않는다. 따라서 정답은 ③이다.

3 Speech는 '연설'이라는 뜻으로 ⑤ talk(담화)와 의미가 같다.
① 싸움 ② 뉴스 ③ 회의 ④ 교실

직독 직해

1 그것은 / 오로지 바로잡을 수 있다 / 평화적인 대화를 통해서 / 폭력이 아니라
→ 폭력이 아니라 평화적인 대화를 통해서만 바로잡을 수 있다.

2 그는 / 강력하게 믿었다 / ~라는 것을 / 폭력이 / 결코 방법이 아니다 / 정의를 달성하기 위한
→ 그는 폭력은 절대로 정의를 달성할 수 있는 수단이 될 수 없다고 강하게 믿었다.

3 오늘날 / 그는 / 기억된다 / 미국의 영웅으로
→ 오늘날 그는 미국의 영웅으로 기억된다.

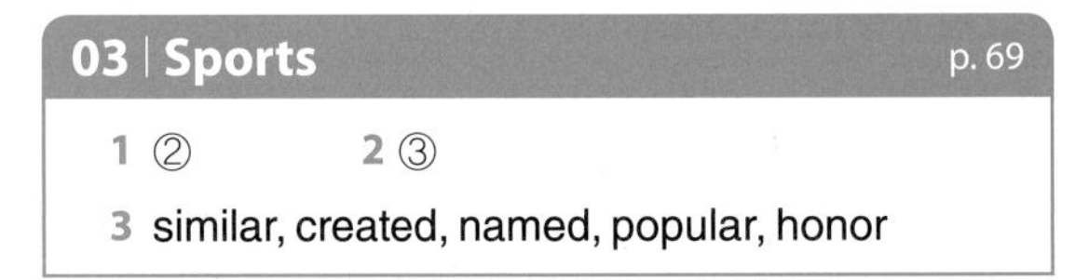

03 | Sports p. 69

1 ② 2 ③
3 similar, created, named, popular, honor

본문 해석

당신은 럭비와 미식축구의 차이를 알고 있는가? 럭비는 미식축구와 굉장히 유사한데 실제로 미식축구는 럭비에서 유래한 것이다. 럭비는 1823년 영국의 럭비라는 한 마을에서 우연히 만들어졌다. 윌리엄 웹 엘리스라는 한 어린 남학생이 럭비 학교라고 불리는 학교에서 다른 소년들과 축구를 하고 있었다. 소년은 경기 도중, 손으로 축구공을 잡고 달리기 시작했다. 그것은 축구의 규칙에 명백히 위반되는 것이다. 그러나 그의 선생님은 그가 하는 것을 관심을 갖고 보았고 그것을 바탕으로 새로운 운동 경기를 만들기로 했다. 그 운동은 경기를 처음 하게 된 학교와 마을의 이름을 따서 럭비라고 불리게 되었다. 오늘날 럭비 월드컵이 축구의 월드컵과 매우 비슷하게 4년 마다 열린다. 우승팀의 트로피는 이 인기 있는 운동 경기를 우연히 만든 그 어린 남학생을 기리고자 윌리엄 웹 엘리스 트로피라고 불린다.

문제 해설

1 미식축구는 럭비를 바탕으로 만든 것이므로 내용과 일치하지 않는 것은 ②이다.

2 럭비 경기가 탄생한 곳은 영국의 '럭비'라는 마을의 '럭비' 학교이다. 따라서 럭비는 이 스포츠가 탄생한 마을과 학교의 이름을 딴 것이므로 정답은 ③ the school and town이다.
① 학교 선생님 ② 스포츠 팀 ④ 경기장 ⑤ 나라

3 럭비와 미식 축구는 매우 유사하고(similar), 기원이 같다. 럭비는 19세기 잉글랜드에서 William이라는 소년과 그의 선생님에 의해 만들어졌다(created). 그것은 처음 그 스포츠가 경기진행이 된 학교의 이름을 땄다(named). 축구처럼 럭비는 이제 인기 있는(popular) 스포츠이고, 나름의 월드컵이 있다. 월드컵 트로피 이름은 윌리엄 웹 엘리스 트로피인데, 이 스포츠를 만든 사람을 기린(honor) 것이다.

직독 직해

1 럭비는 / 만들어졌다 / 우연히 / 마을에서 / 영국의 럭비라고 불리는 / 1823년에
→ 럭비는 1823년 영국의 럭비라는 한 마을에서 우연히 발명되었다.

2 그는 / 축구공을 잡았다 / 손으로 / 그리고 / 시작했다 / 뛰기를 / 그것을 가지고
→ 그는 손으로 축구공을 잡고 달리기 시작했다.

3 그의 선생님은 / 그것을 보았다 / 관심을 갖고 / 그리고 / 결정했다 / 만들기로 / 새로운 운동 경기를 / 그것을 바탕으로
→ 그의 선생님은 그것을 관심을 갖고 보았고 그것을 바탕으로 새로운 운동 경기를 만들기로 했다.

Words Review p. 70

1 extra	2 benefit
3 violence	4 name
5 accidentally	

1 추가적인
2 혜택
3 폭력
4 이름 짓다
5 우연히

UNIT 07

독해탄탄 VOCA Check 1 p. 72

01 붉어지다, 빛나다 / 흐릿한 / 지나가다 / 가리다 / 비명을 지르다 / 캔버스 / 우울한 / 어두운 / 안락, 편안 / 병
02 없애다 / 필수적인 / 배달하다 / 영양소 / 두통
심장병 / 피부 관리 / 부드러운 / 깨끗한 / 부족, 결핍
03 토론 / 성경 / 화석 / 증거 / 지지하다
액체 / 종교의 / 진화 / ~와 상반되는 / 과학적인

독해탄탄 VOCA Check 2 p. 73

1 pass	2 canvas	3 depressed
4 deliver	5 fossil	

1 지나가다: 두 남자가 그를 지나가고 있다.
2 캔버스: 그것은 그저 캔버스 위의 그림이 아니다.
3 우울한: 그의 어두운 회화 양식은 보는 사람들을 우울하게 만든다.
4 전달하다: 물은 몸 전체로 영양분을 전달한다.
5 화석: 진화는 화석과 같은 증거에 의해 설명되었다.

01 | Art p. 75

1 ④ 2 ⑤ 3 ⑤

본문 해석

두 남자가 그를 지나치고 있다. 그의 손이 귀를 막고 있으며 그의 입은 크게 벌어져있다. 그는 무언가 끔찍한 것을 듣고 있거나 보는 것처럼 보인다. 하늘은 붉게 물들어 있고 그 밖의 모든 것들은 희미하고 혼란스럽게 보인다. 이것이 바로 〈절규〉의 묘사이다. 〈절규〉는 에드바르트 뭉크(Edvard Munch)의 가장 잘 알려진 그림이다. 그것은 뭉크의 그림기법을 잘 표현하고 있다. 그것은 캔버스에 그린 단순한 그림이 아닌 그 자신의 고백이기도 하다. 보는 사람을 우울하게 만든다는 이유로 어떤 이들은 그의 '어두운' 화법을 좋아하지 않는다. 반면 다른 사람들은 그것이 정신적 고통을 경험하는 사람들을 위안할 수 있다고 믿는다.

문제 해설

1 뭉크의 그림은 분위기가 우울해서 싫어하는 사람도 있지만, 뭉크의 그림이 정신적 고통을 치유하는 힘이 있다고 믿는 사람도 있다고 했으므로 정답은 ④이다.

2 〈절규〉의 그림 속 주인공은 무엇인가 끔찍한 것을 본 듯 귀를 손으로 덮은 채 입을 크게 벌리고 그림의 배경도 혼란스럽게 묘사했다. 이런 그림의 분위기로 가장 적절한 것은 ⑤ gloomy(우울한)이다.
① 평화로운 ② 기분을 북돋는 ③ 희망적인 ④ 지루한

3 glowing은 ⑤ burning(불타는)과 의미가 같다.
① 그리는 ② 도는 ③ 변하는 ④ 자라는

직독 직해

1 그의 손은 / 덮고 있다 / 그의 귀를 / 그리고 / 그의 입은 / 크게 벌어져 있다.
→ 그의 손이 귀를 막고 있으며 그의 입은 크게 벌어져 있다.

2 그는 / ~처럼 보인다 / 그가 듣고 있다 / 또는 / 보고 있다 / 무언가 끔찍한 것을
→ 그는 무언가 끔찍한 것을 듣고 있거나 보는 것처럼 보인다.

3 그것은 ~이다 / 단지 캔버스 위의 그림이 아닌 / 그 자신의 고백이기도
→ 그것은 단지 캔버스에 그린 그림이 아닌 그 자신의 고백이기도 하다.

02 | Health p. 77

1 ①
2 How much water do you drink a day?
3 ①

본문 해석

당신은 하루에 얼마나 많은 물을 마시는가? 1리터? 2리터? 우리는 물이 우리 몸을 깨끗하고 건강하게 해준다는 것을 알고 있다. 그리고 많은 피부 전문가들은 많은 물을 마시는 것은 우리의 피부에 도움이 된다고 말한다. 그건 물의 성질 때문이다. 물은 혈액 순환을 활동적이게 만든다. 물은 우리 몸에 필수적인 물질이다. 그것은 우리 체중의 70~75%를 차지한다. 물은 체온을 유지시켜 주고, 영양분을 온몸으로 전달해 주며, 우리의 몸에서 독소를 제거해 준다. 또한, 피부의 자연적인 균형을 통제하기도 한다. 따뜻한 물을 마시면 피부가 더 부드럽고, 밝고, 깨끗해진다. 따뜻한 물은 또한 블랙헤드를 없애주고, 넓은 모공을 더 작게 만들어 준다. 만약 몸에 수분이 부족해지면, 우리의 몸은 혈액에서 그것을 빼앗아온다. 그러면, 혈액이 탁해질 수 있다. 그리고 결국 콜레스테롤 수치가 높아지며 심장병이나 두통을 겪을 수도 있다. 더 아름답고 건강해지고 싶다면, 물 마시기와 사랑에 빠져 보는 건 어떨까?

문제 해설

1 물은 혈액 순환을 돕고, 체온을 유지하고, 영양분을 전달하고, 피부를 깔끔하게 유지해 준다. 체중을 유지한다는 내용은 없으므로 정답은 ①이다.

2 How much water: 얼마나 많은 양의 물을
do you drink: 당신은 마시는가
a day: 하루에 (a = per)

3 몸에 수분이 부족할 때 혈액에서 수분을 취해온다는 사실에서 혈액이 탁해진다는 것을 예상할 수 있다. 따라서 정답은 ①이다.
① 이것은 우리의 혈액을 탁하게 만들 수 있다
② 몸무게가 더 늘어날 수 있다
③ 물이 더 이상 필요하지 않다
④ 혈액이 깨끗해진다
⑤ 피부가 밝아진다

직독 직해

1 우리는 안다 / ~라는 것을 / 물이 / 돕는다 / 우리의 몸이 / 깨끗하고 / 건강해지도록
→ 우리는 물이 우리 몸을 깨끗하고 건강하게 해준다는 것을 알고 있다.

2 ~할 때 / 우리가 마신다 / 따뜻한 물을 / 우리 피부는 / ~하게 된다 / 더 부드럽고, 밝고, / 깨끗한
→ 따뜻한 물을 마시면 피부가 더 부드럽고, 밝고, 깨끗해진다.

3 따뜻한 물은 / 또한 / 제거한다 / 블랙헤드를 / 그리고 / 만든다 / 넓은 모공을 / 더 작게
→ 따뜻한 물은 또한 블랙헤드를 없애주고, 넓은 모공을 더 작게 만들어 준다.

03 | Origin p. 79

1 ② 2 ⑤
3 fossils, different kinds of living things

본문 해석

가끔 누구나 인간이 어디에서 왔는지 궁금해한다. 그 질문에 대해서는 항상 창조론과 진화론의 논쟁이 있었다. 창조론은 신성한 창조주가 이 세계와 생명체들을 만들었다는 종교적인 믿음이다. 창조론과는 달리 진화론은 인간을 포함한 모든 생명은 이전의 생명체로부터 발전해왔다는 생물학적인 이론이다. 창조론이 성경에 기초를 두는 반면에 찰스 다윈은 화석이나 여러 종류의 생명체와 같은 증거들로 자신의 진화론을 뒷받침했다. 하지만, 이 둘 다 아직 증명되지 않은 상태이다. 창조론자들은 과학적인 증거 때문이 아니라, 그들의 믿음 때문에 창조론을 믿는다. 그리고 진화론자들은 원시적인 생명체가 어떻게 보다 고등 단계의 생명체로 진화했는지에 대한 과정을 설명할 수 있는 타당한 증거를 가지고 있지 않다. 그러므로 사람들이 인류의 근원에 대해 무엇을 말하든지, 당신의 신념을 따르라.

문제 해설

1 이 글은 인류의 기원에 대한 두 가지 상반된 이론인 진화론과 창조론에 대해 설명하고 있다. 정답은 ②이다.

2 빈칸 (A)는 창조론과 진화론의 상반된 내용을 연결하는 접속사가 들어가야 한다. while(~인 반면)은 두 개의 대조되는 절을 연결할 때 사용할 수 있다. 빈칸 (B)는 앞서 설명한 창조론과 진화론이 증거가 부족하다는 내용이 뒤따라 나오므로 의미상 However(그러나)가 가장 적절하다. 따라서 정답은 ⑤이다.

(A)	(B)
① 그러나	게다가
② 바록~이지만	또한
③ 만약~라면	다시
④ ~이든 아니든	예를 들어
⑤ ~인 반면	그러나

3 찰스 다윈은 화석과 여러 종류의 생물들을 증거로 들어 자신의 진화론을 뒷받침했다.

직독 직해

1 때때로 / 모두 궁금해한다 / 어디서 / 인간이 / 왔는지
→ 가끔 누구나 인간이 어디에서 왔는지 궁금해한다.

2 그 질문에 관해서 / 항상 있었다 / 창조론과 진화론의 논쟁이
→ 그 질문에 대해서는 항상 창조론과 진화론의 논쟁이 있었다.

3 무엇을 ~하든지 / 사람들이 말하다 / 기원에 관해서 / 인류의 / 따르라 / 당신의 신념을
→ 사람들이 인류의 근원에 대해 무엇을 말하든지, 당신의 신념을 따르라.

Words Review

p. 80

1 pass by　2 depressed　3 deliver
4 essential　5 divine

1 지나가다
2 우울한
3 전달하다
4 필수적인
5 신성한

UNIT 08

독해탄탄 VOCA Check 1

p. 82

01 형형색색의 / 봄 / 비옥함 / 바깥쪽 / 기념 행사
붙이다 / 관습, 풍습 / 장식된 / 다시 태어나다 / 숨기다
02 ~의 앞에 / 건너다 / 길 / 미신 / 악마
마녀 / 다양한 / 행운 / 무리, 집단 / 걱정하다
03 작가 / 잡지 / 신문 / 정치인 / 팸플릿
선출하다 / 대통령, 회장 / 번역하다 / 설명서 / 수입하다

독해탄탄 VOCA Check 2

p. 83

1 colorfully　2 in front of　3 devil
4 politician　5 pamphlet

1 형형색색의: 형형색색으로 장식된 계란이 바구니 안에 있다.
2 ~ 앞에서: 검은 고양이가 내 앞으로 지나갔다.
3 악마: 검은 고양이는 악마와 같았다.
4 정치인: 많은 전문 작가들은 정치인들을 위해 글을 쓴다.
5 팸플릿: 그들은 팸플릿을 쓴다.

01 | Festivals

p. 85

1 ①　2 ④　3 ③

본문 해석

달걀은 예로부터 봄, 다산, 풍부함을 상징해왔다. 달걀이 겉보기에는 딱딱하고 죽은 것 같이 보이지만, 그 안에는 새로운 생명을 품고 있기에 사람들은 그것을 길고 혹독한 겨울이 끝나고 모든 생물이 다시 태어나는 봄에 종종 비유한다. 이러한 이유로 기독교인들은 달걀을 예수의 부활과 연관지었고 부활절을 기념하는 것과 연결시켰다. 달걀에 관련된 부활절의 관습은 서기 4세기로 거슬러 올라간다. 지금까지도 부활절이면 형형색색으로 장식된 달걀이나 달걀 모양의 초콜릿이 선물로 주어지거나 아이들이 찾도록 숨겨진다.

문제 해설

1 이 글은 달걀은 겉으로는 죽은 듯 보이지만 안에 생명을 품고 있는 속성 때문에 예수의 부활을 기념하는 상징이 되었다는 내용이다. 부활절 달걀의 기원에 대해 설명하고 있으므로 제목으로 적절한 것은 ①이다.
① 부활절 달걀의 기원
② 달걀의 상징, 사랑
③ 부활절 달걀을 먹는 관습
④ 부활절을 기념하는 법
⑤ 부활절에 달걀 숨기기

2 달걀은 봄, 다산, 풍요로움, 새 생명, 부활 등을 상징한다. 장수를 상징한다는 내용은 없으므로 정답은 ④이다.

3 빈칸 앞뒤의 관계는 원인과 결과에 해당한다. 이 두 내용을 자연스럽게 이어줄 수 있는 연결어는 ③ For this reason(이러한 이유로)이다.
① 다시 말해서 ② 그때에 ④ 예를 들면 ⑤ 게다가

직독 직해

1 길고 혹독한 겨울이 / 끝난다 / 그리고 / 모든 생물이 / 다시 태어난다
→ 길고 혹독한 겨울이 끝나고 모든 생물이 다시 태어난다.

2 부활절 달걀 관습은 / 거슬러 올라간다 / 서기 4세기로
→ 부활절의 달걀 관습은 서기 4세기로 거슬러 올라간다.

3 형형색색으로 / 장식된 달걀 / 또는 달걀 모양의 초콜릿은 / 주어진다 / 선물로
→ 형형색색으로 / 장식된 달걀이나 달걀 모양의 초콜릿이 선물로 주어진다.

02 | Superstition

p. 87

1 ③　2 ③
3 it's hard to understand or explain superstitions

본문 해석

"아, 안돼! 검은 고양이가 내 앞을 가로질러 갔어!" "왜 이렇게 난리야?" "그거 몰라? 검은 고양이가 앞을 가로질러 가면 운이 나쁘다는 거 말이야." 당신은 어떻게 생각하는가? 당신은 이런 종류의 미신을 믿는가? 실제로 미신을 이해하거나 설명하는 것은 어렵다. 검은 고양이에 관한 개념은 여러 세기를 거슬러 올라간다. 그 당시에 많은 사람들은 검은 고양이가 악마와 같다고 생각했다. 여기 그 이유가 있다. 악마는 여러 마녀들의 우두머리라고 알려져 있었다. 그리고 마녀들은 검은 고양이를 길렀고 여러 이야기 속에서 보통 악마가 검은 고양이로 둔갑했다. 그래서 검은 고양이가 불운의 상징으로 여겨진 것이다. 검은 고양이는 정말 사악한가? 글쎄, 그러한 생각을 뒷받침할 어떤 과학적인 증거도 없다. 그러니까 걱정할 필요 없다. 당신의 길을 가로질러 가는 검은 고양이는 단순히 미신일 뿐이다.

문제 해설

1 마녀들이 기르는 검은 고양이는 악마가 둔갑한 것이라는 전설 때문에 검은 고양이는 불운의 상징이 되었다. 따라서 정답은 ③이다.

2 검은 고양이가 악마가 변한 것이라거나, 검은 고양이가 앞에 지나가면 재수가 없다는 것 등은 과학적 증거가 없는 미신(superstition)이라고 할 수 있으므로 정답은 ③이다.
① 악마
② 증거
③ 미신
④ 마녀
⑤ 불운

3 it's: 가주어+동사
to understand or explain superstitions: 진주어
(to부정사; explain 앞에는 중복되는 to 생략)

직독 직해

1 악마는 / ~라고 알려져 있었다 / 우두머리 / 한 무리의 마녀들의
→ 악마는 한 무리의 마녀의 우두머리라고 알려져 있었다.

2 그것이 이유이다 / 검은 고양이가 / 여겨졌던 / ~라고 / 상징 / 불운의
→ 그래서 검은 고양이가 불운의 상징으로 여겨진 것이다.

3 ~가 없다 / 과학적 증거 / 뒷받침할 / 그와 같은 생각을
→ 그러한 생각을 뒷받침할 어떤 과학적인 증거도 없다.

03 | Interesting Jobs p. 89

1 ⑤ 2 ④ 3 ⑤

본문 해석

(C)

당신은 글을 쓰거나 재미있는 이야기를 지어내는 것을 좋아하는가? 작가가 되는 것에 대해 어떻게 생각하는가? 우리는 종종 작가를 책이나 신문 또는 잡지 기사를 쓰는 사람으로 생각한다. 이것은 맞는 말이지만, 당신의 거의 들어보지 못한 특이한 것을 쓰는 사람들도 있다.

(B)

예를 들어, 많은 전문 작가는 정치인들을 위해 글을 쓴다. 그들은 정치인들이 선출되도록 소책자와 선거 운동 자료를 쓴다. 그들은 또한 정치인들의 연설에 사용하는 글과 '짧지만 효과적인 어구'를 쓰기도 한다. 심지어 대통령까지 연설문을 작성할 때 이러한 작가들의 도움을 받는다.

(A)

또 다른 작가는 별로 매력적으로 보이지는 않지만 많은 돈을 번다. 많은 사람은 다른 언어로 적힌 사용설명서 때문에 수입 전자제품을 이용하는 데 어려움을 겪는다. 그래서 많은 회사에서는 번역가를 고용하는데, 이들은 사용설명서를 다른 언어로 다시 쓴다.

문제 해설

1 (C)에서 작가가 하는 일 중에는 대중들에게 낯선 업무가 있다고 언급한 뒤, (A), (B)에서 그 예들을 언급하고 있다. (A)에서는 설명서 번역이, (B)에서는 정치인을 위한 연설문이나 홍보물 작성이 언급되었는데, (B)는 For example로 시작하고, (A)는 Another type of writing job으로 시작하고 있어서, (A)가 (B) 다음에 나오는 것이 자연스럽다. 따라서 정답은 ⑤이다.

2 (A)에서는 사용 설명서 번역이, (B)에서 정치인을 위한 연설문과 홍보물 작성이, (C)에서 신문 잡지 기사 작성이 언급되었다. 연극, 영화 대본 작성은 언급되지 않았으므로 정답은 ④이다.

3 import는 '수입하다'라는 뜻이 있다. 밑줄 친 imported(수입된)는 수동의 의미를 가진 과거분사이므로 선택지 중 알맞은 것을 찾아보면 ⑤가 정답이다.
① 신나고 재미있는
② 한 자리에 선출된
③ 정상적인 상태와 다른
④ 흥미나 재미를 불러일으키는
⑤ 다른 나라에서 들여 온

직독 직해

1 많은 사람들은 / 문제를 겪는다 / 사용하는 데 / 수입된 전자 제품들을
→ 많은 사람들은 수입 전자 제품을 이용하는 데 어려움을 겪는다.

2 많은 회사는 / 고용한다 / 번역가를 / 이들은 사용설명서를 다시 쓴다 / 다른 언어로
→ 많은 회사에서는 번역가를 고용하는데, 이들은 사용설명서를 다른 언어로 다시 쓴다.

3 ~들이 있다 / 몇몇의 특이한 / 글쓰기 직업이 / 당신이 거의 ~하지 못한 / 듣다
→ 당신이 거의 들어보지 못한 몇몇의 특이한 글쓰기 직업이 있다.

Words Review p. 90

1 decorate　2 believe in　3 unlucky
4 translator　5 magazine

1 꾸미다
2 믿다
3 운이 없는
4 번역가
5 잡지

독해탄탄 VOCA Check 1 p. 92

01 산소 / 증기 / 오르다 / 바다 / 산
병 / 같은 / 총액, 양 / 잘못된 / 수준, 단계
02 반지 / 주인 / 돌리다 / 무덤 / 먹이다
무리, 떼 / 유혹하다 / 여왕 / 양치기 / 눈에 보이지 않음
03 돌 / 얼굴 / 조각된 / 절벽 / 보호하다
노예 / 경제 / 역사 / 영감을 주다 / 확대시키다

독해탄탄 VOCA Check 2 p. 93

1 oxygen　2 climb　3 shepherd
4 tomb　5 carved

1 산소: 공기는 질소와 산소의 결합이다.
2 오르다: 사람들은 정말로 높은 산에 오를 때 산소통을 가지고 간다.
3 양치기: 기게스는 그저 한 선량한 양치기였다.
4 무덤: 그는 무덤에서 반지를 발견했다.
5 새기다: 4명의 거대한 바위 얼굴이 새겨진 산이 있다.

01 | Interesting Facts p. 95

1 ⑤　2 ③　3 nitrogen, oxygen
4 ③

본문 해석

숨을 쉴 때 우리가 정확히 무엇을 들이마실까? 실제로, 우리는 우리 주위의 공기에 대해 그렇게 많이 생각하지 않지만, 사실, 우리는 그것을 들이마시면서 평생을 보낸다! 그런데도, 우리는 뭔가 잘못되지 않는 한 그것에 관해 거의 생각하지 않는다. 공기는 질소와 산소의 혼합물이다. 이 두 가스는 공기의 99%를 차지하고 나머지는 다른 가스와 수증기의 혼합물이다. 해수면에서 이 수치는 거의 같다. 그렇지만, 산을 오르기 시작하면, 당신은 공기가 점점 '희박해'지는 것을 알게 될 것이다. 산소 함유량이 점점 적어져서 우리 몸은 같은 양의 산소를 얻으려고 더 많이 숨을 쉰다. 그래서 사람들이 정말 높은 산을 오를 때 산소통을 가지고 가는 것이다.

문제 해설

1 이 글은 대기를 이루는 공기의 구성 성분에 대해 설명하고 있으므로 정답은 ⑤이다.
2 산소는 위로 올라갈수록 점점 희박해지므로 일치하지 않는 것은 ③이다.
3 공기의 99%는 질소와 산소로 이루어져있다.
4 산 위로 올라갈수록 산소의 양이 점점 적어지므로 빈칸에 적절한 말은 ③ thinner(더욱 희박한)이다.
① 더욱 깨끗한 ② 더욱 더러운 ④ 더욱 탁한 ⑤ 더욱 추운

직독 직해

1 우리는 / 보낸다 / 우리의 평생을 / 그것을 들이마시면서
→ 우리는 그것을 들이마시면서 평생을 보낸다.
2 우리는 / 거의 생각하지 않는다 / 그것에 대해서 / ~하지 않는 한 / ~가 있다 / 잘못된 것이
→ 우리는 뭔가 잘못되지 않는 한 그것에 관해 거의 생각하지 않는다.
3 필요하다 / 더 많은 호흡이 / 얻는 데에 / 똑같은 양의 산소를 / 여러분의 몸에
→ 우리 몸은 같은 양의 산소를 얻으려고 더 많이 숨을 쉬어야 한다.

02 | Ethics p. 97

1 ④　2 ②　3 What will you do

본문 해석

〈국가론〉이라는 책에서 플라톤은 '기게스의 반지'에 관한 이야기를 언급했다. 이 반지는 반지를 낀 사람의 의지대로 눈에 보이지 않게 하는 능력을 부여한다. 어떤 사람이 반지를 끼고 그것을 약간 돌리면 그 사람은 눈에 보이지 않게 된다. 그저 선량한 양치기였던 기게스는 자신의 양에게 먹이를 주다가 무덤 속에서 반지를 발견했다. 그는 그 반지가 특별한 힘이 있다는 것을 알아냈다. 눈에 보이지 않는 능력을 이용해서 그는 왕비를 유혹하고 왕비의 도움을 받아 왕을 죽였다. 결국, 그 자신이 왕이 되었다. 이 이야기를 통해서 이 책은 처벌을 받지 않는 상황에서의 도덕성을 논하고 있다. 누군가가 저지른 일에 대해서 처벌이 가해지지 않는다면 도덕적이거나 비도덕적인 사람 모두 똑같이 행동을 하게 될까? 이 이야기에서는 정의롭든 정의롭지 않은 사람이든 기게스가 했던 것처럼 처벌에 대한 두려움이 없다면 비도덕적으로 행동한다고 말하고 있다. 만약 기게스의 반지가 있다면 당신은 무엇을 하겠는가?

문제 해설

1 플라톤은 기게스의 반지의 이야기를 인용하면서, 잘못된 행동에 대해 아무런 처벌이 가해지지 않는다면 도덕적으로 행동할 사람은 아무도 없을 것이라고 말한다. 이로 미루어볼 때 플라톤이 가장 동의할 만한 내용은 사회 질서 유지를 위해 엄격한 법이 필요하다는 ④가 적절하다.

2 반지를 가진 사람(owner)은 눈에 보이지 않게(invisible) 되어 자신이 원하는 것을 무엇이든 할 수 있다. 정답은 ②가 적절하다.

(A)	(B)
① 양치기	눈에 보이는
② 주인	눈에 보이지 않는
③ 사람	도덕적인
④ 왕	처벌받은
⑤ 여왕	비도덕적인

3 What: 무엇을(what은 do의 목적어)
will you do: 당신을 할 것인가?

직독 직해

1 이 반지는 / 준다 / 소유주에게 / 능력을 / 보이지 않을 수 있는 / 원하는 대로
→ 이 반지는 소유주에게 눈에 보이지 않게 하는 능력을 부여한다.

2 그는 / 알아냈다 / ~라는 것을 / 그 반지가 갖고 있었다 / 특별한 능력을
→ 그는 그 반지가 특별한 힘이 있다는 것을 알아냈다.

3 무엇을 / 당신은 할 것인가 / 만약 / 당신이 갖고 있다면 / 기게스의 반지를
→ 만약 기게스의 반지가 있다면 당신은 무엇을 하겠는가?

03 | Places p. 99

1 ⑤ 2 ④
3 symbols, carved, develop, inspires

본문 해석

당신은 나다니엘 호손이 쓴 〈큰 바위 얼굴〉을 읽어본 적이 있는가? 이야기에서 나오는 것처럼 실제로 네 개의 얼굴 모양이 조각된 산이 존재하는 것을 아는가? 실제로, 사우스다코타주에 러시모어산이라 불리는 산 하나가 있다. 그 산의 절벽에 네 개의 얼굴이 새겨졌고 각각의 얼굴의 높이는 18미터이다. 그 네 개의 얼굴은 미국의 전 대통령들인 조지 워싱턴, 토마스 제퍼슨, 시어도어 루스벨트, 그리고 에이브러햄 링컨의 얼굴이다. 네 명의 대통령들은 모두 훌륭한 지도력과 능력을 갖추고 있었다. 그들은 미국이 영국으로부터 독립하고, 영토를 확장하며, 연방주를 보호하고 노예제도를 없애며, 경제를 발전시키는 것을 가능하게 만들었다. 미국의 가장 유명한 상징 중 하나인 러시모어 국립 기념공원은 초기 미국의 역사의 한 면을 보여준다. 약 백만 명의 사람들이 매년 이곳을 방문하고, 호손 책의 주인공이 '큰 바위 얼굴'에 의해 영감을 받은 것처럼 그 위대한 대통령들에게서 영감을 받는다.

문제 해설

1 러시모어 산에 조각된 대통령들의 공로로, 영국으로부터의 독립, 영토 확장, 연방주 보호, 노예제도 폐지, 경제 발전 등이 언급되었다. 빈부격차 해소는 언급되지 않았으므로 정답은 ⑤이다.

2 they made it possible for the United States to break… 에서 to break와 ⓓ는 등위접속사 and로 연결되어야 하기 때문에 ⓓ역시 문법적으로 동등한 to부정사가 되어야 한다. 중복되는 to는 생략되어 쓰이므로 develop로 고쳐야 한다. 〈make it possible to부정사〉는 '~하는 것을 가능하게 하다'는 의미로 쓰인다.

3 사우스 다코다의 러시모어 국립 기념공원은 가장 유명한 미국의 상징물(symbols) 중 하나이다. 몇몇 위대한 대통령들의 얼굴이 산에 새겨져(carved) 있다. 그 대통령들은 위대한 지도자들이었고 미국이 더 강한 나라로 발전하도록(develop) 도왔다. 이 장소는 인기 있는 관광지가 되었고 매년 그곳을 방문하는 약 백만 명의 사람들에게 영감을 주고(inspires) 있다.

직독 직해

1 네 개의 얼굴이 / 조각되었다 / 절벽에 / 그리고 / 각각의 얼굴은 / ~이다 / 18미터 높이인
→ 절벽에 네 개의 얼굴이 새겨졌고 각각의 얼굴의 높이는 18미터이다.

2 러시모어 국립 기념공원은 / 나타낸다 / 한 면을 / 초기 미국 역사의
→ 러시모어 국립 기념공원은 초기 미국의 역사의 한 면을 보여준다.

3 약 백만 명의 사람들이 / 영감을 받는다 / 그 훌륭한 대통령들에 의해
→ 약 백만 명의 사람들이 그 위대한 대통령들에게서 영감을 받는다.

Words Review p. 100

1 spend 2 whole 3 invisible
4 behave 5 territory

1 보내다
2 전체의
3 보이지 않는
4 행동하다
5 영토

UNIT 10

독해탄탄 VOCA Check 1 p. 102

01 식사 / 아침 식사 / 제공하다 / 기록 / 출석, 참석
수행하다 / 행동 / 싸움, 전투 / 청취 / 선생님
02 훌륭한 / 세계 / 치유되다 / 부당한 / 교도소
용서하다 / 찢다 / 정부 / 감옥 / 복수
03 애완동물 / 증언하다 / 거절하다 / 으르렁거리다 / 말
동물 / 정보 / 포함하다 / 동기부여 / 능력

독해탄탄 VOCA Check 2 p. 103

1 meal 2 fighting 3 prison
4 snarl 5 refuse

1 식사: 아침 식사는 하루 중 가장 중요한 식사이다.
2 싸우다: 그는 그의 인생 대부분을 불평등한 제도와 싸우며 보냈다.
3 교도소: 만델라는 27년의 세월을 교도소에서 보냈다.
4 으르렁 거리다: 당신의 개는 사람들에게 으르렁대거나 심지어 물기도 한다.
5 거절하다: 당신의 개는 먹거나 놀기를 거부한다.

01 | Health p. 105

1 ①, ⑤ 2 ③
3 하루를 시작하는 데 필요한 영양소

본문 해석

당신은 늘 아침식사를 하는가? 안 하는가? 그럼, 아침식사가 하루 중 가장 중요한 식사라는 것을 아는가? 제대로 된 아침식사는 우리가 하루를 제대로 시작하기 위해 필요한 영양소를 제공해 준다. 연구에 따르면 제대로 된 아침식사를 하는 학생들이 그렇지 않은 학생들보다 학교생활을 더 잘한다고 한다. 예를 들면, 제대로 된 아침식사를 하는 학생들이 학교생활을 더 잘하는 경향이 있고 출석률도 더 높다. 그들은 또한 과잉 행동을 감소시켰다. 반면에, 아침식사를 하지 않는 학생들은 학교생활을 잘하지 못할 가능성이 높고, 또한 싸움을 한다든지 선생님의 말씀을 잘 듣지 않는 등의 행동 문제들을 일으키는 경향이 있다.

문제 해설

1 이 글은 아침 식사의 긍정적 영향과 그 중요성에 대해 설명하고 있다. 아침 식사를 하는 학생은 좋은 학업 성적과 좋은 출석률을 보이며 학교생활을 잘 하는데 반해, 아침 식사를 거르는 학생들은 과잉 행동을 보이고 선생님 말씀을 듣지 않는 문제를 보이고 있다고 말하고 있다. 아침 식사에서 섭취해야 할 필수 영양소나 적당한 아침 식사 시간은 언급되어있지 않으므로 정답은 ①, ⑤이다.
2 빈칸 뒤의 내용은 앞의 내용에 대한 대조적인 내용이므로 빈칸에 들어갈 적절한 연결어는 ③ On the other hand(반면에)이다.
① 예를 들어 ② 그러나 ④ 무엇보다도 ⑤ 결국
3 하루를 시작하는 데 필요한 영양소를 제공해준다.

직독 직해

1 당신은 아는가 / ~라는 것을 / 아침식사가 / ~이다 / 가장 중요한 식사 / 하루 중
→ 당신은 아침식사가 하루 중 가장 중요한 식사라는 것을 아는가?
2 학생들은 / 제대로 된 아침식사를 먹는 / 학교에서 더 잘한다 / ~보다 / 그렇지 않은 학생들
→ 제대로 된 아침식사를 하는 학생들이 그렇지 않은 학생들보다 학교에서 더 잘한다.
3 그들은 / ~하는 경향이 있다 / 행동 문제가 있다 / ~와 같은 / 싸움하기 / 그리고 / 선생님 말을 듣지 않기
→ 그들은 싸움을 한다든지 선생님의 말씀을 잘 듣지 않는 등의 행동 문제를 일으키는 경향이 있다.

02 | People p. 107

1 ⑤ 2 ④ 3 ②

본문 해석

당신이 세계의 위대한 지도자들을 생각할 때 머릿속에 떠오르는 한 이름은 넬슨 만델라일 것이다. 넬슨 만델라는 남아프리카 공화국 출신이었다. 그는 인생의 많은 부분을 아파르트헤이트라고 알려진 정부의 불평등한 제도에 맞서 싸우며 보냈다. 이 제도 속에서 그의 나라의 흑인들은 공정하게 대우받지 못하거나 백인들과 같은 권리를 갖지도 못했다. 이 제도에 대항해서 싸웠던 많은 사람이 죽임을 당했거나 여러 해 동안 감옥살이를 해야만 했다. 만델라는 교도소에서 인생의 27년을 보냈지만 마침내 풀려났을 때도 화가 나지 않았다. 대신, 그는 자유로운 남아프리카 공화국이라는 그의 목표를 계속 추구해 나갔고 마침내 그의 나라의 대통령이 되었다. 그는 그의 나라가 치유할 기회가 정말 필요하다고 믿었다. 그는 모든 사람이 서로를 용서하고 사랑하는 것을 배워야 한다고 말했다. 많은 사람들은 그가 남아프리카 공화국이 분열되어 내란에 빠지는 것으로부터 구했다고 믿는다.

문제 해설

1 이 글은 넬슨 만델라가 정치적 시련을 극복하고 대통령이 되어 나라의 분열을 막고 내란으로부터 구했다는 내용이므로 제목으로 적절한 것은 ⑤이다.
① 넬슨 만델라의 어린 시절
② 넬슨 만델라의 가장 큰 실수
③ 남아프리카 공화국의 대통령
④ 남아프리카 공화국의 아파르트헤이드
⑤ 훌륭한 리더, 넬슨 만델라

2 삽입 문장의 Instead(대신)는 억울한 정치 탄압에 대해 분노한 대신 자유로운 남아프리카를 세우는 목표를 추구하여 대통령이 되었다는 내용으로 흘러가도록 자연스럽게 이어준다. 따라서 적절한 위치는 ④ (D)이다.

3 아파르트헤이트 때문에 흑인들은 공정하게 대우 받지도 못했고 백인들과 같은 권리를 갖지도 못했다고 했으므로 인종차별 제도라고 말한 ②가 가장 적절하다.

직독 직해

1 그는 / 보냈다 / 그의 일생의 많은 시간을 / 싸우는 데 / 부당한 체제와 / 정부의 / 아파르트헤이트라고 알려진
→ 그는 인생의 많은 부분을 아파르트헤이트라고 알려진 불평등한 정부 제도에 맞서 싸우며 보냈다.

2 그는 믿었다 / ~라는 것을 / 그의 나라가 정말로 필요로 했다 / 기회를 / 치유할
→ 그는 그의 나라가 치유할 기회가 정말 필요하다고 믿었다.

3 그가 구했다 / 남아프리카 공화국이 / 분열하는 것으로부터 / 그리고 / 내란으로 빠지는 것(으로부터)
→ 그는 남아프리카 공화국이 분열되어 내란으로 빠지는 것으로부터 구했다.

03 | Interesting Jobs p.109

1 ③ 2 ⑤
3 face, mind, ability, communicate

본문 해석

당신이 애완동물을 키운다면 당신은 어려운 상황을 겪을 수도 있다. 예를 들어, 당신의 개가 먹거나 노는 것을 거부하는 것이다. 또는 사람들에게 으르렁대거나, 심지어 물기도 한다. 그 개가 어떤 생각을 하는지 알 수 없어서 당신은 답답함을 느낀다. 하지만, 동물들의 마음을 읽고 그들과 대화할 수 있다고 말하는 사람들이 있다. 하이디 라이트는 애니멀 커뮤니케이터로 수년 동안 세계곳곳에서 모든 종류의 동물들과 함께 일해 왔다. 그녀는 동물 주인이 자신의 동물을 이해할 수 있도록 돕는다. 우리는 동물로부터 텔레파시 정보를 받는 그녀의 능력을 TV에서 볼 수 있고, 동물들의 주인들은 그녀의 소통 능력이 실제로 효과가 있다고 생각한다. 그녀는 사람들이 그들의 애완동물과 소통하고 그들의 삶이 더 행복해지도록 돕고 싶다고 말한다.

문제 해설

1 이 글에서 하이디 라이트는 동물의 생각을 텔레파시로 읽을 수 있어서 동물과 대화가 가능하며, 여러 동물 주인들이 그녀의 능력이 효과가 있다고 믿고 있음을 말하고 있다. 하이디 라이트가 키우는 동물에 대한 내용은 없으므로 정답은 ③이다.

2 빈칸 (A) 뒤에서 앞에서 언급한 동물 주인들이 겪는 어려움에 대한 예가 나열되어있다. 따라서 For example(예를 들어)과 같은 연결어가 적절하다. 빈칸 (B) 뒤에는 동물의 생각을 읽고 소통할 수 있는 특별한 능력을 가진 사람이 나오는데, 이는 바로 앞에서 언급한, 동물들이 무슨 생각을 하는지 몰라 답답한 주인들과 대조되고 있으므로 However(하지만)와 같은 연결어가 적절하다. 따라서 정답은 ⑤이다.

(A)	(B)
① 또한	그때
② 하지만	예를 들어
③ 그러므로	그때
④ 적어도	그러므로
⑤ 예를 들어	하지만

3 애완동물이 있는 사람들은 가끔씩 어려운 몇 가지 상황에 직면한다(face). 이런 상황은 애완동물의 마음(mind) 속에 무엇을 품고 있는지 모르기 때문에 어렵다. 다행히도 애니멀 커뮤니케이터가 있다. 그들은 동물의 마음을 읽는 능력(ability)이 있어서 그들과 소통할(communicate) 수 있다. 그들은 더 행복한 삶을 위해 사람들이 자신들의 애완동물과 연대할 수 있도록 도와준다.

직독 직해

1 당신의 개는 / 으르렁거린다 / 사람들에게 / 또는 / 심지어 물기도 한다 / 그들을

→ 당신의 개가 사람들에게 으르렁대거나, 심지어 물기도 한다.

2 하이디 라이트는 / 일해 왔다 / 모든 종류의 동물들과 / 세계곳곳에서 / 수년 동안

→ 하이디 라이트는 수년 동안 세계곳곳에서 모든 종류의 동물들과 함께 일해 왔다.

3 그녀는 / 돕는다 / 동물 주인들이 / 이해하도록 / 그들의 동물들을

→ 그녀는 동물 주인이 자신의 동물을 이해할 수 있도록 돕는다.

Words Review p. 110

1 nutrient 2 free 3 forgive
4 communicate 5 helpless

1 영양분
2 자유로운
3 용서하다
4 의사소통하다
5 무력한

Workbook Answers p. 111~131

UNIT 01

A

1 반대
2 검투사
3 패배한
4 여행하다
5 정오
6 흔한
7 심각한
8 계속되다
9 먹잇감
10 영향을 미치다
11 culture
12 ancient
13 fate
14 traditionally
15 escape
16 environment
17 cause
18 average
19 disaster
20 tragic

B

1 approval, gladiator, opposite, different, insulting
2 culture, rest, sleepy, recharge, nap
3 Global warming, affects, temperatures, melt, extinction

UNIT 02

A

1 교육
2 궁전
3 신화
4 총알
5 고통
6 줄이다
7 빛나는
8 쳐다보다
9 지팡이
10 불이 켜지다
11 role model
12 advise
13 experienced
14 surgery
15 patient
16 literally
17 approach
18 reverse
19 sideways
20 press

B

1 mentor, originated, in charge of, trusted, experienced
2 bite, operation, painful, wounded, endure
3 shiny, sliding, staring, pressed, lit, reverse

UNIT 03

A

1 차량
2 커브
3 언덕
4 보행자
5 칭찬
6 칭찬
7 효과
8 비슷한
9 피부가 흰
10 ~와 비교하여
11 steep
12 downhill
13 in front of
14 spread
15 happen
16 sooner or later
17 peasant
18 exactly
19 occupy
20 theory

B

1 crooked, curves, steep, one-way, attractions
2 effect, compliments, receiving, come back, happen
3 theories, flamingo, occupied, ruddy, peasant

UNIT 04

A

1 결합
2 전문가
3 균형 잡힌
4 금으로 된
5 아름다움
6 딸꾹질
7 자연스럽게
8 자극하다
9 효과적인
10 신경
11 several
12 importantly
13 dairy
14 prick
15 overcome
16 jealous
17 experience
18 remedy
19 contract
20 suddenly

B

1 combination, diet, groups, vegetables, dairy products, cereal
2 golden, leaden, punish, accidentally, overcame, goddess, pierced
3 hiccups, breathe, contracts, hold, Sucking, home remedies, nerve

UNIT 05

A

1 폐쇄적인
2 졸업
3 달리 말해
4 가치 있는
5 면도(하다)
6 가져오다
7 삼키다
8 대화
9 흔한
10 상상력이 풍부한
11 accept
12 keep in mind
13 willing
14 barbershop
15 perfect
16 reply
17 realize
18 weird
19 positive
20 indicator

B

1 suggestions, open-minded, graduation, well-balanced, enough
2 barbershop, shave, wooden, continued, swallow
3 introverted, blood type, attention, personality, negative

UNIT 06

A

1 태워 없애다
2 추가적인
3 운동, 운동하다
4 이익, 혜택
5 얻다, 이루다
6 집회
7 관계
8 차이점
9 규칙
10 우연히
11 lose weight
12 calorie
13 expert
14 peaceful
15 justice
16 movement
17 protest
18 decide
19 accidentally
20 against

B

1 weight, healthier, calories, aerobic, continuous
2 movement, race, peaceful, minds, hero
3 difference, similar, invented, caught, against, based on

UNIT 07

A

1 묘사, 설명
2 나타냄
3 캔버스
4 보는 사람
5 필수적인
6 제어하다
7 논쟁
8 생물의
9 생명체
10 원시의
11 comfort
12 blurry
13 confusing
14 mental
15 blood
16 substance
17 pore
18 religious
19 divine
20 faith

B

1 passing by, terrifying, confession, depressed, mental
2 skincare, circulation, essential, toxins, removes, thicker
3 creation, evolution, Contrary to, previous, evidence unproved, primitive

UNIT 08

A

1 나타내다
2 비유하다, 비교하다
3 다시 태어나다
4 불행한, 불길한
5 과학적인
6 마녀
7 전자의
8 사용설명서
9 잡지
10 작가
11 celebration
12 colorfully
13 decorate
14 richness
15 devil
16 superstition
17 translator
18 unusual
19 professional
20 politician

B

1 richness, reborn, Easter, gifts
2 unlucky, superstition, devil, witches, scientific
3 unusual, politicians, elected, speech, language

UNIT 09

A

1 정확히
2 좀처럼 ~하지 않다
3 숨쉬다
4 산소
5 양치기
6 도덕적인
7 보이지 않는
8 확장하다
9 상징
10 가능한
11 spend
12 mixture
13 whole
14 content
15 morality
16 at will
17 condition
18 territory
19 inspire
20 preserve

B

1 breath, nitrogen, oxygen, sea level, breathing, climb
2 unseen, killed, morality, behave, punishment
3 carved, presidents, leadership, slavery, economy

UNIT 10

A

1 ~하는 경향이 있다
2 줄이다
3 수행하다
4 치유하다
5 자유로운
6 추구하다
7 떠오르다
8 (상황과) 마주하다
9 상황, 처지
10 마음, 생각
11 provide
12 meal
13 important
14 right
15 release
16 tear apart
17 goal
18 refuse
19 bite
20 helpless

B

1 nutrients, better, attendance, fighting
2 unfair, fairly, released, forgive, civil war
3 snarls, mind, communicate, telepathic

초등부터 중등까지

모든 독해의 확실한 해결책

THIS IS READING Starter

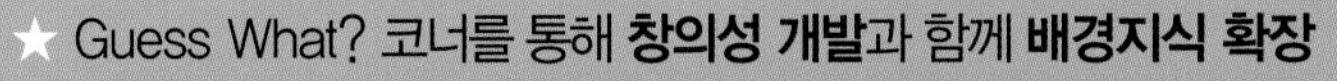

- ★ Guess What? 코너를 통해 **창의성 개발**과 함께 **배경지식 확장**
- ★ 독해탄탄 VOCA Check 1, 2 코너를 통해 **독해 기초 탄탄 훈련**
- ★ 어휘를 쉽게 암기하고 오래 기억에 남게 하는 **이미지 연상 학습**
- ★ 독해를 잘하는 비법! 영어의 어순대로 공부하는 **직독직해 훈련**
- ★ 다양한 지문과 문제를 통해 **중등 내신 + 서술형 문제 완벽 대비**
- ★ 각각의 문제 유형 제시를 통한 **기초 수능 실력 완벽 대비**
- ★ Words Review 코너 및 영영풀이 문제를 통해 **기초 독해 실력 탄탄**
- ★ 원어민의 발음으로 듣는 전체 지문 **MP3 제공**

영어 교재 시리즈

Reading 시리즈

Reading 101 Level 1~3

Reading 공감 Level 1~3

THIS IS READING Starter 1~3

THIS IS READING 1~4 전면 개정판

Smart Reading Basic 1~2

Smart Reading 1~2

구사일생 BOOK 1~2

구문독해 204 BOOK 1~2

특단
어법어휘 모의고사
구문독해
독해유형

Listening / NEW TEPS 시리즈

Listening 공감 Level 1~3

After School Listening Level 1~3

The Listening Level 1~4

도전! 만점 중학 영어듣기 모의고사 Level 1~3

만점 적중 수능 듣기 모의고사 20회 / 35회

NEW TEPS 실전 300+ 실전 400+ 실전 500+